UNDERCOVER IN NEDERLAND

Alberto Stegeman

UNDERCOVER IN NEDERLAND

De Fontein

ISBN 978 90 261 0098 7
NUR 402
© 2007 Uitgeverij De Fontein bv, Postbus 1, 3740 AA Baarn
Ontwerp omslag: Studio Eric Wondergem
Foto's omslag en binnenwerk: Stills uit de gelijknamige tv-serie van SBS 6
Zetwerk: Hans Gordijn

INHOUD

VOORWOORD

Dit boek gaat over mijn leven als undercoverjournalist. Dat bestaat de laatste jaren uit een aaneenrijging van ontmoetingen met oplichters, kinderpooiers, fantasten en louche handelaren. Soms knijp ik mezelf in mijn arm om te controleren of wat ik hoor en zie wel echt waar is. Ik beland nog steeds dagelijks in hachelijke en onvoorstelbare situaties. Ik kom op plekken waar een normaal mens zich niet ophoudt en kom er mensen tegen die er – op z'n zachtst gezegd – opvallende gedachten op nahouden.

Ik speelde een illegale straatracer, een pooier, was wapenhandelaar, een cruisende homo en deed me voor als sekstoerist. Ik sloot illegale megadeals, sprak illegale hoertjes en hoerenlopers en stond oog in oog met freefighters. Infiltratie is voor mij als journalist het enige middel om deze werelden duidelijk in beeld te brengen. Werelden die, tot dan toe, voor mij en voor veel anderen onbekend waren.

Als jochie vond ik het al heerlijk te observeren, naar mensen te kijken. Op terrassen, in de ramen van bussen en treinen. Of thuis vanuit het raam, met mijn rug tegen de kachel. Menselijk gedrag, verbaal en non-verbaal, intrigeert me. Ik heb die interesse altijd gehad en was ook als kind op zoek naar opmerkelijke dingen. Vroeger in Twente waar ik ben opgegroeid, zag ik al vroeg in mijn jeugd criminaliteit om me heen. Natuurlijk was het daar geen Sodom en Gomorra, maar er was wel veel werkloosheid die enige armoede en overlevingsdrang met zich meebracht. Ik wil deze toestanden van destijds niet overdrijven, zeker niet omdat ik in mijn werk als undercoverjournalist de afgelopen jaren veel meer en veel ernstiger criminaliteit ben tegengekomen. Maar toen maakte dat wat ik zag wel enorm veel indruk op me. Er waren buurtjongens die inbraken, er was veel piraterij. Ook waren er verhalen van messenstekers en pyromanen. Als kind raakte ik erdoor geobsedeerd en ging ik ernaar op zoek. Misschien is daar *Undercover in Nederland* wel begonnen.

Niet lang daarna las ik het boek *Ik Ali* van Günther Wallraff. Deze Duitse journalist werkte undercover als Turk in een fabriek. Een jaar lang had hij zich vermomd als gastarbeider. Het heeft hem een verbijsterend journalistiek verhaal opgeleverd dat internationaal voor veel opschudding zorgde. In het boek heeft hij beschreven hoe hij zich door zijn landgenoten gediscrimineerd voelde, hoe hij geschoffeerd werd. Later herhaalde hij dat kunststukje nog enkele malen, onder meer door undercover te werken bij het roddelblad *Bild*.

Voor *Undercover in Nederland* ga ik op zoek naar de donkere steegjes in dit land, de spelonken van de maatschappij. Het doel is om illegale en opmerkelijke zaken aan het licht te brengen. Ik wil het land informeren en film met verborgen camera's. De werelden die ik betreed, zullen de waarheid achterhouden wanneer ik met een zichtbare camera als journalist vragen stel. Undercover werken is bij de onderwerpen die ik aansnijd telkens de enige werkwijze om, zoveel mogelijk, het echte verhaal boven water te krijgen.

Hoe kan het dat Nederland zo geschokt reageerde op de uitzending over seksparkeerplaatsen in ons land? Wisten we het niet? Waren het de confronterende beelden? Was het de massaliteit? Of was het 't achtertuingevoel? Het gebeurt bij u en bij mij om de hoek en het feit dat het zich voor onze neus afspeelt, gekoppeld aan het idee dat we dat niet wisten, maakt de verbazing groter.

Ik las tweekolommers in kranten over illegale straatraces. Over ongelukken, ingenomen rijbewijzen en zelfs dodenritten. Maar hoe werkt het, zo'n straatrace? Waar spreken ze af? Hoe hard rijden ze? Wie nemen het voortouw en hoe georganiseerd zijn de races? Kinderprostitutie was natuurlijk ook wel bekend. In Thailand, op de Filippijnen en in Brazilië. Maar in Nederland? Bestaat het hier ook? U was samen met mij kwaad en verbaasd over het antwoord. Ik kan me nog steeds niet voorstellen hoe eenvoudig deze pooiers jonge kinderen ronselen voor de seksindustrie. Hoe een jongetje van 9 jaar het prostitutievak in rolt, aangeboden door zijn ouders. Hoe andere kinderen in ons land geen kwaad zien in prostitutie en de paar honderd euro extra verkiezen boven een veilig thuis. Hoe pooiers kinderen smokkelen vanuit het Oostblok en hen vervolgens in Arnhem, Enschede en Leeuwarden aanbieden aan pedoseksuelen die graag grof geld betalen voor seks met deze jonge jongetjes of meisjes. U en ik weten inmiddels dat het waar is, omdat de pooiers, de klanten en de prostituees het me zelf hebben verteld. Inderdaad, onvoorstelbaar!

Elke beroepsgroep kent zo haar eigenaardigheden. Hoe praat een straatracer? Wat draagt een wapenhandelaar? In welk type auto rijdt een kinderpooier? Ik moet me druk maken om de antwoorden. Ik mail met hen, ontmoet de ongure types op obscure plekken in Nederland en probeer hun nieuws en informatie te ontfutselen. Maar leven als undercoverjournalist betekent ook: voorzichtig manoeuvreren, op je tellen passen en foutloos werken. Mijn motto luidt: vertrouwen is goed, controle is beter.

Niet alles wat ik doe als undercoverjournalist is gevaarlijk werk. Sommige onderwerpen zijn gewoon alleen bizar of opmerkelijk. Ze vertellen iets over een deel van Nederland dat we nog niet kenden, of niet goed kenden. Daar zie ik ook een taak als journalist en programmamaker.

De eerste schreden als undercoverjournalist zette ik in Amsterdam. Ik speelde een Zweedse toerist. Ik wilde weten hoe Nederland er met een buitenlandse bril op uitzag. Ik kende de cijfers en die voorspelden weinig goeds. Zakkenrollers en drugsdealers hadden het vooral op tocristen voorzien. Taxichauffeurs zouden toeristen afzetten en illegale proppers zouden de toeristen voor te veel geld naar louche hotels brengen. Ik kende de routes waar, statistisch gezien, de kans het grootst was dat toeristen gevaar zouden lopen. Daar zou ik met mijn rugzak naartoe gaan, proefondervindelijk ondergaan hoe buitenlanders zich in ons land voelen. Het was bedoeld als *pilot*. De werktitel luidde *Verborgen waarheid*. Later zou ik, ergens op de A6, bedenken dat *Undercover in Nederland* een duidelijkere en daarmee betere titel zou zijn.

In het hoofdstuk 'Gesnapt' beschrijf ik hoe het meteen al fout ging. Hoe na twee dagen mijn verborgen camera ontdekt werd en ik op de Wallen op de vlucht moest voor een drugsdealer. Ik wist meteen waar ik aan toe was. Als er al sprake was van onderschatting, dan was dat probleem in de kiem gesmoord.

Daarna volgden nieuwe onderwerpen en illegale werelden. Ik infiltreerde eerst als mezelf in een andere outfit, daarna vermomd met zwart haar en een bril, omdat de kans op herkenning steeds meer op de loer lag. Ik leerde door te doen, door te kijken naar de Britse undercoverjournalist Donald MacIntyre, en door de opnamedagen met het redactieteam goed te evalueren. Maar in de meer dan twee undercoverjaren die totnogtoe volgden, zijn er desondanks veel onverwachte en gevaarlijke situaties ontstaan.

Mijn leven klinkt als een spannend jongensboek, en dat is het in zekere zin ook wel, maar voor mij is het vooral een keiharde realiteit. Het is hard werken om zoveel mogelijk te weten te komen. Met gelukkig voldoende genoegdoeningen. Uiteraard gebeurt er ook veel achter de schermen bij *Undercover in Nederland* dat de tv-uitzendingen nooit haalde, of dat zelfs door onze verborgen camera's nooit vastgelegd kon worden. Ik wil in dit boek u ook die en andere bijzondere momenten laten meebeleven.

De droom die ik als jochie had is uitgekomen: ik ben undercoverjournalist. Maar daar waar ik als kind dacht dat het een spannend, onschuldig Kuifjesavontuur zou zijn, weet ik nu dat het veel meer is dan dat. Het is en blijft onvoorspelbaar werk.

Alberto Stegeman

Noot voor de lezer: In dit boek zijn teksten van internet opgenomen (advertentiesites, chats, forums). Deze teksten zijn letterlijk overgenomen, inclusief tik- en spelfouten.

WERKWIJZE

Gert-Jan Schepers, John Wijnands, Frank Lennard; het zijn maar een paar van de namen die ik heb. Het zijn namen die niet opvallen en zowel in lage als hoge kringen geen vragen oproepen. Aan die voorwaarden moeten de fictieve namen voldoen. Verder zitten daar weinig ideeën achter, al denken sommige mensen daar wel eens anders over. Zo kreeg ik eens een telefoontje van ene John Wijnands. Hij suggereerde dat ik zijn naam bewust had misbruikt en dat hij daar nu last van had. Nu is het zo dat we de gekozen namen in de tv-uitzendingen maar nauwelijks noemen, dus met die hinder zal het wel meevallen. Daarbuiten was het puur toeval dat hij ook John Wijnands heette. Hij heeft vast wel meer naamgenoten in Nederland.

Het is overigens lastig te bepalen of een naam wel of niet bij je past. Daarbij is mijn ervaring dat als je zegt dat je John Wijnands heet, er heel veel moet gebeuren voordat iemand denkt dat dat niet zo is.

Ik oefen ook nog steeds mijn naam voordat ik een afspraak heb. Even snel Gert-Jan of Frank tegen mezelf zeggen. Zonder erbij na te denken spreekt iedereen vanzelf zijn of haar eigen naam uit. Die fout kan ik me niet veroorloven. Het uitspreken van mijn fictieve naam moet klinken alsof het mijn eigen naam is.

Hoe infiltreer je? Wat betekent het werken met verborgen camera's? Hoe verenigen een illegale straatracer en een kinderpooier zich met elkaar? Wat maakt een cruisende homo anders

13

dan een louche handelaar? Ook ik heb de passende antwoorden daarop niet kant-en-klaar liggen, maar om de een of andere reden is het me gelukt in veel van die gevallen betrouwbaar over te komen. Althans, dat neem ik maar even aan. Misschien hadden criminelen of oplichters wel twijfels, maar ben ik telkens door het oog van de naald gekropen. Ik verbaas me er achteraf over hoe vaak het me gelukt is te infiltreren in werelden van mensen die hun bezigheden zoveel mogelijk buiten het oog van indringers willen houden.

Wanneer je voor het eerst met bijvoorbeeld een wapen- of drugshandelaar afspreekt, weet je als undercoverjournalist nooit met wie je te maken krijgt. Die onzekerheid bepaalt voor een groot deel de spanning van dit werk. Het gevaar ligt elk moment op de loer. Hoe klein en onschuldig de criminele activiteit in eerste instantie ook lijkt, er kán een groot netwerk achter zitten en het kán om exorbitant grote bedragen gaan. Veel criminelen weten goed dat gevoel van onbehagen te voeden. Door de telefoon mag vaak niet gesproken worden over het onderwerp en afspreken gebeurt bijna nooit thuis of op een voor de koper bekende plek. De afgelopen jaren heb ik veel vestigingen van McDonald's, Van der Valk en Kentucky Fried Chicken bezocht, zonder er te eten.

De mensen die ik ontmoet leiden vaak een dubbelleven. Hun naasten hebben geen idee wat werkelijk in hun leven omgaat. Maar hoe lang hou je dat vol: dat je thuiskomt na een bezoek aan een seksparkeerplaats, tegen je vrouw aankruipt in bed en doet alsof er niets gebeurd is?

Tussen de opnameperiodes en de uitzendingen van *Undercover in Nederland* zit soms een periode van maanden. In die tijd moet ook ik voorzichtig zijn met wat ik tegen wie zeg. Het verhaal, het nieuws of de onthulling mag onder geen beding uitlekken. Ik heb gelukkig enkele vertrouwenspersonen in mijn directe omgeving met wie ik alles kan bespreken. Zonder mijn dierbaren zou ik niet kunnen, ik zou gek worden van het idee te leven met een groot geheim. Ik merk het als ik thuiskom. Dan wil ik mijn verhaal kwijt, vertellen wat ik heb meegemaakt. Het hoeft niet uitvoerig, niet tot in detail, maar ik moet het kwijt. Misschien is dat wel de reden dat veel criminelen, seksparkeerplaatsbezoekers of kinderpooiers zo openhartig zijn tegen mij. Ik doe me voor als een metgezel en aan mij kunnen ze veilig en anoniem hun verhaal kwijt. Althans, dat is wat ze zullen denken.

Ik woon en werk voor elk verhaal weer ergens anders. Soms geef ik een nepadres op, soms heb ik daadwerkelijk een huis gehuurd om mensen of post te ontvangen. Ik draag altijd meerdere mobieltjes op zak: ten minste één privételefoon en één undercovertelefoon. Collega's, vrienden of familieleden willen me privé kunnen bereiken, en als ik hen bel wil ik dat niet doen met telkens een ander nummer.

Ook mijn beroep is nooit mijn echte beroep en de voornemens die ik uit zijn nooit mijn persoonlijke voornemens. Ik zou privé nooit wapens kopen of meedoen met illegale straatraces; toch moet ik spelen dat ik dat wél wil. Wat mij helpt bij het accepteren dat ik zoveel leugens verspreid, is mijn journalistieke drijfveer. Ik doe dit werk omdat ik een verhaal wil vertellen, informatie wil verschaffen, de waarheid aan het licht wil brengen. Maar ik moet wel zeggen dat het me niet altijd in de koude kleren gaat zitten. Zeker niet toen ik een kinderpooier speelde. Toen sprak ik met andere pooiers en kindprostituees. Ik sprak hun taal. Ik walgde ervan. Het leek alsof ik een bijrol had in een slechte film, alsof de wereld waarin ik beland was niet echt bestond. Was dat laatste maar waar. Het tegengestelde is het geval: de wereld van de kinderprostitutie in Nederland is groter en gewetenlozer dan ik voor mogelijk had gehouden. Doe jezelf maar eens voor als een 13-jarig meisje op *chatsites* voor jongeren op internet. Als vliegen op de stroop komen de volwassen mannen op je af. Zet er voor de vorm een dollartekentje achter en de mannen verzamelen zich terstond in rijen van tien. Deze fictieve wereld is het voorportaal van de reële wereld van de kinderprostitutie, ook in Nederland.

Om niets aan het toeval over te laten moeten onze technici supercreatief zijn. Camera's, lenzen, microfoons moeten voor het blote oog onzichtbaar zijn. Dat is een vereiste. Een camera die wel wordt gevonden, of draden die loshangen, kunnen ons in een nare situatie brengen. De lenzen zijn zo klein als een speldenknop. En omdat de camera's zo klein zijn, zijn ze kwetsbaar en wil er nog wel eens eentje sneuvelen. Ook een minuscuul stofje kan soms roet in het eten gooien. Een ander probleem is de hitte. Omdat de apparatuur soms te lang aanstaat, bestaat de kans dat het lijm waarmee de lens is vastgemaakt, loslaat. Het gaat om millimeters, of vaak nog minder, maar soms is het te zien. Er ontstaat dan een zwarte rand rondom het beeld. Mocht dat gebeuren, dan komt het beeld vaak toch in de uitzending. Het gaat namelijk altijd om de inhoud. Ook nieuwsprogramma's werken zo: een prachtig shot met een goed kader is mooi, maar bij de grootste rampen maakt het veel minder uit. Dan kunnen de slechtste beelden het belangrijkste nieuws vertellen. Bij *Undercover in Nederland* werkt dat niet anders.

De verborgen camera draag ik in tassen, jassen of andere voorwerpen. We zetten zelfs vogelhuisjes en prullenbakken in. Wanneer ik mijn bodywarmer draag, met verborgen camera, voelt dat niet meer ongemakkelijk. In het begin was dat wel zo. Dan leek het alsof iedereen met wie ik sprak die even de ogen afwendde, direct de lens opzocht. Het kostte me maanden om dat gevoel kwijt te raken. De verborgen camera's helpen me nu juist bij het spelen van de rol. Ze zorgen ervoor dat ik me voortdurend realiseer dat ik aan het werk ben. Het is mijn gereedschap waarmee ik mijn verhaal bouw. Het is net zoals met acteurs die op het podium hun plankenkoorts kwijtraken; vooraf maken zij zich zorgen, zijn ze nerveus. Zodra de theaterdoeken wegschuiven, verdwijnt veel van die nervositeit. Mijn toneelstuk is begonnen wanneer mijn verborgen camera's draaien: dan zijn meestal mijn zenuwen verdwenen. Er is wel een belangrijk verschil tussen mij en acteurs: mijn toneelstuk speelt zich af in een echte wereld.

Ik leef de laatste jaren in auto's. Ik maak er mijn verborgen camera's gebruiksklaar, ik eet er, ik wacht er, ik bel er en zo kan ik nog wel even doorgaan. Soms ontbreekt de tijd – of de interesse – om alles direct op te ruimen. Maar voor elke afspraak of undercoveractie controleer ik mijn auto: er mogen geen sporen zijn van een vorig gesprek. Het zijn zo van die futiliteiten, maar vlak voor een gesprek ben ik hier scherp op. Een rolletje gaffertape – met dit tape trek ik de snoeren strak rondom het cameraatje – gooi ik vaak even onder de autozitting. Ook omhulsels van tapes of DV-doosjes willen nog wel eens rondslingeren. Soms liggen er briefjes met mijn naam erop of die van een naam die ik gebruikt heb. Ik gebruik mijn auto ook geregeld als kleedhok, omdat er vaak geen tijd is me elders om te kleden. Of ik ga even bij een benzinepomp naar binnen met mijn rugtasje. Ik kom er als iemand anders uit. Het eerste jaar reed ik soms ook nog rond in mijn privéauto. Achteraf niet zo slim, maar productioneel liep het gewoon wel eens zo. Voor het tweede jaar sprak ik met mezelf en het redactieteam af dat ik dat niet meer zou doen. Op locatie maak ik zelf de verborgen camera's gebruiksklaar en ik benut vaak de openbare toiletten voor het verwisselen van de tapes. Checken of de camera's nog lopen doe ik werkelijk overal; iedereen kijkt per slot van rekening wel eens in zijn of haar tas, dus ook dat valt niet op. Staat er REC in beeld, verspringt de tijdcode, is de batterij nog vol?

Tijdens undercoveracties werk ik bijna nooit alleen. Soms spelen collega's dezelfde rol als ik, zoals bij de aflevering over seksparkeerplaatsen. Of ze spelen bijvoorbeeld een vriend van me, mijn prostituee, mijn dealer of mijn schuldeiser. Ook de collega's dragen verborgen camera's om de gebeurtenissen vast te leggen. Ze drinken koffie aan een tafeltje verderop of staan om de hoek me op te wachten en passeren me vervolgens als argeloze voorbijgangers. We hebben zelfs ooit de aloude krantentruc gebruikt. Tijdens een aflevering over intimiderende incassomethoden hield een redactielid in de gaten of de louche incassomedewerker eraan zou komen en keek steeds langs de krant naar de voordeur. Er zat nog net geen kijkgat in de krant.

Ook word ik vaak gevolgd door collega's in een geblindeerde auto. Of misschien kan ik beter zeggen: geblinddoekte auto. De auto is weliswaar voorzien van getint glas waardoor je bijna niet naar binnen kunt kijken, maar vooral de doeken die aan de binnenkant hangen zorgen voor het gewenste resultaat: goed naar buiten kunnen kijken, maar niet andersom! Het werkt tot op heden vrij goed, al zijn er altijd jochies die zo'n donkere auto interessant vinden en dan met hun neus voor het raam gaan staan. 'Papa, volgens mij zag ik wat bewegen.' Als cameraman op een paar centimeter afstand is het dan: adem inhouden en een doek voor de lens. De cameralens kan op een zonnige dag voor schittering zorgen en dan ben je meteen gesnapt. Ook dragen de technici in de auto zoveel mogelijk zwarte kleding. Een geel, rood of ander felgekleurd shirt valt met wat verkeerde lichtinval te veel op. 's Nachts zijn koplampen irritant: als ze recht in de lens schijnen, wordt de camera goed zichtbaar. Voor de volgers in de geblinddoekte wagen is dus ook 's nachts concentratie geboden. Het is voor hen een heel gedoe met die camera's in de auto. Veel schelden, vloeken, stress. Op de ruwe tapes hoor ik dat later allemaal terug. 'Verdomme, iets achteruit. *Iets achteruit!* Er staat een boom voor, precies voor het shot. Draai iets naar links. *Naar links!* Zo ja. Blijf staan.' Ook kan het camerateam elk gewenst moment ingrijpen als er gevaar dreigt, al heb ik hun nadrukkelijk de opdracht gegeven dit alleen in uiterste noodgevallen te doen.

Wanneer het donker wordt, is undercoverwerk prettiger. Dat klinkt misschien tegenstrijdig, omdat overdag je veiligheid meer gegarandeerd zou zijn. In mijn geval ligt dat anders. Als het donker is, is de kans op herkenning minder. Zeker tijdens het tweede seizoen van de uitzendingen probeerde ik zoveel mogelijk 's avonds af te spreken. Ontmaskering was mijn nieuwe vijand. Daarom had ik mijn haar pikzwart geverfd. Het leverde me bij vrienden bijnamen op als Zwartjoekel, Eddy Wally of Black Beauty, maar zodoende kon ik mijn werk voortzetten. Miljoenen kijkers hadden me acht afleveringen lang gezien en gehoord, maar de vermomming werkte. Zwart haar maakte mijn gezicht anders; een bril deed de rest. Het was ook mogelijk dat iemand mijn stem zou herkennen; daarom zette ik in het tweede seizoen soms een iets hogere stem op.

Ik probeer met afspraken die ik maak zoveel mogelijk voor mij bekende buurten uit te sluiten, maar soms is dat onmogelijk. Dan ben ik ook undercover op plekken waar ik in mijn dagelijks leven woon, rij, winkel, naar de kroeg ga of een voetbalwedstrijd speel. Het gebeurde me al een aantal malen dat ik undercover op locatie een bekende tegenkwam. Dat is schrikken. Mijn familie, vrienden en goede kennissen weten weliswaar wat voor werk ik doe, maar ik hoop toch altijd dat ze niet per ongeluk enthousiast op me af komen stappen. Dat is gelukkig nog nooit gebeurd, al was er wel een keer een kennis die achteloos 'hé, Alberto' riep, net op het moment dat ik, voor de deur van het hoofdbureau van de politie Amsterdam, met een paar kids onderhandelde over busjes pepperspray. De jochies hadden niets in gaten en de kennis bedacht op tijd dat het verstandiger was door te lopen.

In het donker maak ik voor de opnamen veel gebruik van de binnenverlichting van de auto. Op beeld zie je anders niets terug, is het een groot zwart vlak. Dat is natuurlijk opvallend: je rijdt in de kijker. Maar ook dan is het goed te beseffen dat een ander niet snel denkt dat je undercover bent. In de auto, undercover op weg, is het belangrijk rustig te blijven, in alle situaties. Niet in paniek raken, niet achter elke boom een vijand zien. Niemand vermoedt per slot van rekening waar ik mee bezig ben. Criminelen zeggen dat vaker: als je iets illegaals doet, ga je je anders gedragen, juist omdat je je zo bewust bent van het feit dat vreemd gedrag opvalt. Ik heb het ook gemerkt. Aan mezelf, aan collega's. Het is iets waar je aan moet wennen. Als je onderweg bent, valt ook direct alles op. Je bent gefocust op onheil. In mijn vrije tijd zouden een heleboel dingen me niet zijn opgevallen, als ik aan het werk ben let ik op alles wat naar illegaliteit ruikt.

Ik ben geen politieman, ik werk ook niet voor het Openbaar Ministerie. Dat verklaart ook waarom ik geen aangifte doe tegen de mensen die ik ontmoet en waarom ik deze criminelen, dwazen, kruimeldieven of oplichters onherkenbaar in beeld breng. Ik ben geen boevenpakker, ik ben journalist. Dat is ook de opzet van het programma. Ik registreer, vraag deskundigen om commentaar en probeer instanties, de politiek en het volk te informeren en soms wakker te schudden. Bovendien: ik heb duizenden mensen gefilmd. De gevangenissen zouden mijn aanbod niet eens aankunnen. De tv-uitzendingen dragen bij aan de oplossingen, de politie kan zien hoe ik te werk ben gegaan en kan hetzelfde pad bewandelen. Als ze dat doen, hebben ze het bewijs dat nodig is om te straffen en daarin kunnen ze veel meer doen dan ik. Ik kan als journalist niet op hun stoel zitten. Sterker nog: ik wíl het niet eens. Ik wil niet de vooruitgeschoven pion zijn in een schaakspel van politie of Justitie. Straatracers, kinderpooiers, wapenhandelaren, maar ook seks-parkeerplaatsbezoekers, kwakzalvers, medicijnenverkopers: ze komen voor in mijn programma, maar ik wil niet degene zijn die voor eigen rechter speelt en bepaalt wie het wel en wie het niet verdienen om achter de tralies te belanden. Strikt genomen doen ze namelijk allemáál iets fout. Daarin wil ik rechtlijnig zijn en blijven. Ik werk onafhankelijk, ook onafhankelijk van politie en Justitie. Ieder zijn taak.

Het is goed mezelf iedere dag een spiegel voor te houden en te beseffen dat de werelden waarin ik terechtkom extreem zijn. Het is alsof ik dagelijks mijn focus op het leven scherpstel. Er komt steeds meer informatie bij waarover ik mij verbaas, maar ik probeer die negatieve ballast in mijn privéleven zo min mogelijk mee te nemen. Mijn nuchterheid en grote relativeringsvermogen helpen daar goed bij. Zie het als zelfverdediging. Ik kan me wat ik meemaak en zie zo vaak niet voorstellen, omdat mijn eigen wereld zo dichtbij is en toch – tegelijkertijd – zo ver weg lijkt. Het ene moment praat ik met moedermelkdrinkers, nepgenezers en kindprostituees, een paar uur later drink ik een biertje met mijn vrienden in de kroeg of ben ik op een familiefeest. Ik hanteer nog altijd graag de stelregel dat mensen in het algemeen te vertrouwen zijn. In de vreemde werelden waarin ik me de laatste jaren begeef is dat een utopie, maar ik weet dat ik een van de weinige Nederlanders ben die mijn tijd in zo veel verschillende illegale, bizarre of criminele kringen doorbreng. Ik zie dat overigens niet als een probleem, maar vooral als een journalistiek voorrecht.

Vaak wordt me gevraagd hoe ik te werk ga en ik moet daarop standaard antwoorden: telkens weer anders. Nu kan ik zeggen: lees dit boek. Maar vanavond, op de dag dat ik dit schrijf, ga ik weer undercover en gebruik ik weer nieuwe technieken. Want net als bij criminelen en politiemensen veranderen ook de methoden van undercoverjournalisten.

BINNEN ZONDER KLOPPEN

Het is een snikhete zomerdag. Ik ben druk met nieuwe undercoveracties, als ik in de achteruitkijkspiegel van mijn auto ineens een oude bekende zie. Ik herken hem direct: het is de Incassoman. Hij heeft een goedaardige, lieve uitstraling. Ik zou op voorhand tekenen voor zo'n buurman. Gewoon een goedzak, op het oog. Maar deze man heeft een naar bijbaantje: hij haalt geld op bij debiteuren. Niet via de geijkte legale weg, maar door te dreigen en te intimideren, vaak met freefighters en ander uitsmijtergeweld aan zijn zijde.

In die nare hoedanigheid had ik hem een halfjaar eerder ontmoet in mijn gehuurde vakantiehuisje. We hadden het volgende scenario bedacht. Ik zou me voordoen als Gert-Jan Schepers uit Amsterdam. Mijn collega zou in dit verhaal Joost de Vries spelen. Hij zou mij kennen uit het uitgaansleven in Amsterdam. We speelden geen goede vrienden, maar vage kennissen. We waren zogenaamd een paar keer uit eten geweest en ik zou hem mijn financiële problemen hebben uitgelegd. Uiteindelijk zou ik hem om 5000 euro hebben gevraagd en dat ook hebben gekregen. Sindsdien zou ik niets meer van me hebben laten horen en niet meer op zijn voicemails, telefoontjes en brieven hebben gereageerd. Met dit verzonnen verhaal gingen we aan de slag.

We richten onze pijlen op bureaus die nergens zijn ingeschreven of geregistreerd. Hoe groot is deze scene? Welke intimiderende methodes gebruiken ze? Zijn het slechts wildwestverhalen of toch echte wildwesttaferelen? Al snel blijkt het laatste. Er zijn in Nederland tientallen bedrijfjes actief die via de illegale weg en op hardhandige wijze geld ophalen bij nalatige debiteuren. Het zijn cowboys in de polder. *Men in Black*-types die geen schroom of genade kennen.

Dit soort incassobureaus werkt niet vanuit kantoor. Vaak geeft de adverteerder zijn 06-nummer met, als je geluk hebt, nog een voornaam. Verder moet je het als klant gewoon maar vertrouwen. En begint nu net niet daar telkens het probleem?

Incassobureaus hebben geen wettelijke status: iedereen kan een incassobureau beginnen. Zij mogen alleen geen dwangmiddelen gebruiken. In Nederland mogen ze alleen brieven sturen met het verzoek om te betalen. Helpt dit niet, dan kan een incassobureau een deurwaarder inschakelen. In andere landen is die wettelijke status er wel. In Amerika bijvoorbeeld bepaalt de wet wat je wel en niet mag doen als incassobureau, wanneer je mag bellen, hoe je je bekend moet maken. Hier in Nederland gelden algemene fatsoensnormen. Dat wil zeggen dat je ook als incassobureau niet zomaar aan de deur mag komen en mag dreigen spullen mee te nemen, laat staan horloges van polsen grissen of plasmaschermen uit huis nemen. Deskundigen die ik over dit onderwerp spreek, begrijpen dan ook niet dat mensen de deur opendoen voor dit soort 'kennissen' of 'vriendjes'.

Op internet en in kranten staan tal van twijfelachtige advertenties van incassobureaus. Een paar voorbeelden:

'We gaan geen confrontatie uit de weg.'

'Wij incasseren gratis.'

'Makkelijke en moeilijke incasso's: voor u een probleem, maar voor ons niet.'

'Incasso of bodyguard nodig? Bij bedreiging vangen zij de klappen op, bij vreemdgaan bieden zij zekerheid. Liefst telefonisch contact.'

'Hebt u een moeilijke incasso en is deze vordering hard? Dan zorgen wij ervoor dat er betaald wordt. Ook voor zaken waarvan u dacht dat deze niet meer verhaald konden worden.' 'Slecht betalende opdrachtgevers? Geen probleem, wij regelen echt (bijna) alles. Waar u stopt, gaan wij verder. Laat u niet in de maling nemen door uw debiteuren, want waar u recht op hebt, moet u ontvangen. Smoesjes en/of warmhoudpraatjes van uw cliënt, daar doen wij niet aan mee. Wij gaan voor directe zaken en oplossingen. Wij schrijven niet, wij bellen niet, wij gaan persoonlijk hard en stevig praten met als doelstelling het oplossen van het debiteurengeschil. Bel snel voordat het te laat is.'

Mijn collega belt in mijn aanwezigheid meerdere incassobureaus. Een aantal bedrijven wil de zaak, zonder enig schriftelijk bewijs, zomaar aannemen. Dat geldt ook voor de Incassoman. Met hem gaan we als eerste 'in zee'.
'Ja, hallo.'
'Hallo, met Joost.'
Mijn collega legt in staccato het verzonnen verhaal voor.
'Kunt u mij helpen met dit probleem?'
De vraag stellen is hem beantwoorden. Hij wil met mijn zogenaamde kennis afspreken op neutraal terrein. 'Als hij geld heeft, en hij wil structureel niet betalen, dan zullen we er dwang achter zetten. Dan gaan we naar hem toe. Het kan op twee manieren. Goedschiks of kwaadschiks.'
We spreken af elkaar over een paar dagen in een restaurant te zien en van daaruit 'een plan te bedenken'. In het telefoongesprek vertelt de Incassoman stoer dat deze zaak een kolfje naar zijn hand is. Later zou hij er nog een paar scheppen bovenop doen.
Om vast te leggen dat de door hen gebruikte technieken bol staan van intimidatie en stalking, gebruiken we verschillende verborgen camera's. Ik huur een huisje in een vakantiepark.

Want om de deur open te kunnen doen voor deze incasseerders moet ik natuurlijk wel een andere voordeur hebben dan die van mezelf... Ik huur het huisje voor meerdere weken, omdat ik ervan uitga dat deze undercoveractie wel eens veel tijd in beslag zou kunnen nemen.

Het park oogt redelijk uitgestorven als ik met twee collega's het terrein op rijd. Ik parkeer de auto vlak voor het huisje. We lopen direct in de kijker; blijkbaar zitten veel andere parkbewoners om een praatje verlegen. Een echtpaar komt als een soort sluipmoordenaars op ons af. Dit paar komt hier vast voor hun rust, maar daar is niets van te merken. We hebben bewust niemand ingelicht. Voor mij en de undercoveroperatie is het nu niet handig in dit park te veel vrienden te maken. Stel je eens voor dat de incassomedewerkers ook bij hen gaan navragen of ik er vaak ben en in welke auto ik rij. Dan moet dat uiteraard wel kloppen met het verhaal dat we afsteken tegen de Incassoman. Ik stel me dus ook bij deze vakantieparkbewoners, mijn nieuwe buren, voor als Gert-Jan Schepers, een reclameman uit Amsterdam. Ik probeer het praatje zo algemeen en kort mogelijk te houden. Ik ben niet de gezellige buurman, dat is maar vast duidelijk.

In het park bedenken we een opnamescenario, hoewel we beseffen dat echte mensen en echte verhalen zich lastig laten leiden. Maar als je geen plan hebt, kun je ook geen plan aanpassen. Om te beginnen gaan we na waar de camera's moeten hangen om de gebeurtenissen zo duidelijk mogelijk in beeld te krijgen. Het probleem is dat we niet weten hoe de incassomedewerkers zullen lopen. Richting de voordeur, vanaf de parkeerplaats is het handigst. Dan kan ik de heren zien aankomen en is voor mij de verrassing het kleinst. Maar ze kunnen ook om het hoekje komen, achter een grote heg vandaan. Of via de achterkant, al is dat onlogisch. Ook de incassomedewerkers moeten in eerste instantie voorzichtig te werk gaan, denk ik. Zij hebben er ook geen belang bij slapende honden wakker te maken in het park.

Vlak voor mijn vakantiehuisje zetten we een prullenbak neer, met een kijkgat richting looppad. Ook een vogelhuisje doet dienst als 'videobewaker'. Dit hangen we boven de voordeur. Een andere camera verbergen we in de struiken, met een vuilniszak eroverheen. De vuilniszak ligt er wat verloren bij, maar we denken dat dit niet zal opvallen. Dat risico kunnen we nemen. De geblinddoekte camerawagen zal op de parkeerplaats staan. De cameraman zit in de achterbak en een andere collega staat een paar honderd meter buiten het vakantiepark op de uitkijk. We hebben geen idee of onze collega 'Joost de Vries' de gelegenheid krijgt om ons te laten weten dat hij vertrekt. We weten niet of hij mee mag en of de incassomedewerkers direct tot actie willen overgaan. Daarom proberen we overal op voorbereid te zijn.

Het volgen van de incassomensen tijdens de rit naar het vakantiepark willen we tot het minimum beperken, opnieuw om het risico op ontdekking zo klein mogelijk te houden. Onze collega 'Joost de Vries' moet met hen meelopen. Hij zal zelf een verborgen camera dragen en zodoende kan hij proberen de Incassoman en zijn helpers zo te sturen dat we hen 'in het shot' kunnen vangen.

In een loods in de polder prepareren onze technici de volgende dag de camera's volgens plan. Het vogelhuisje, de prullenbak, de vuilniszak, de bodywarmer voor Joost de Vries en het spijkerjack met camera voor Gert-Jan Schepers. In de loods ontstaat nog het idee om een camera in een pak cornflakes te verstoppen. Deze zullen we op de kast zetten, waardoor we een goed totaalbeeld van de kamer krijgen. Met het blote oog is de lens niet te zien. We zijn klaar voor de opnamedag.

Mijn collega heeft afgesproken in een hotel annex restaurant. De cameraman, de geluidsman en de chauffeur wachten al geruime tijd vóór het afgesproken tijdstip op de parkeerplaats.

Mijn collega en fictieve kennis Joost de Vries zal ver voor het afgesproken tijdstip een tafel uitzoeken bij het raam, zodat de camera alles goed in beeld heeft.

Later zullen we meerdere incassobureaus benaderen met mij als schuldeiser. Zodoende brengen we meerdere incasseerders en hun intimiderende methoden in beeld en kunnen we laten zien dat het geen incidenten zijn. Ik voer gesprekken in hotels en op parkeerplaatsen. En hoewel de incassomedewerkers op hun hoede zijn en gespitst op politiemensen en 'luistervinkjes', vertellen ze openhartig. Die luistervinkjes zijn er wel, maar worden gelukkig niet opgemerkt.

Tijdens de vele opnamen wordt me duidelijk dat de Incassoman niet de enige persoon is die zaken aanneemt zonder schriftelijk bewijs en daarmee lak heeft aan de geldende fatsoensnormen. Zo stelde een van deze incassocowboys dat ze pas weggaan als alles is geregeld. 'Ik *stalk* debiteurs. Ik sta voor hun huis, achter hen bij de kassa in de supermarkt en volg hen op weg naar het werk. Op een gegeven moment willen ze echt wel betalen, hoor. Een beetje intimideren doet wonderen. Als iemand een kroeg of restaurant binnengaat, ga ik ernaast zitten. Op een gegeven moment denken ze echt wel: ik moet nu toch maar gaan betalen.'

'Ik sta voor hun huis, achter hen bij de kassa in de supermarkt en volg hen op weg naar het werk. Op een gegeven moment willen ze echt wel betalen, hoor.'

Hij vervolgt zijn verhaal tegen mij: 'Als wij het niet krijgen, krijgt niemand het. Geen rechter, geen advocaat, geen deurwaarder, geen ander incassobureau. Ik sta wel eens drie dagen en drie nachten voor een deur. Ik ben vannacht nog bij iemand voor de deur weggegaan. Hij belde om tien over twee dat hij vandaag zou betalen. Mijn collega's staan nu bij hem voor de deur om dat met hem te regelen. Als het voorbij is, dan komt de persoon in kwestie niet meer bij jou. Jij krijgt je geld. En hij moet ons betalen. Hij betaalt zeker 2500 euro extra. Maar het hangt er ook van af hoe vaak ik ernaartoe moet. Ik heb nu drie dagen bij hem voor de deur gestaan. Dat is drie keer 1000 euro.' Drie keer 1000 euro. Zwart dus. Op deze manier geld incasseren is *big business*. Dat denk ik maar zeg ik uiteraard niet. Dat hoort ook bij mijn werk: vooral niet zeggen wat je denkt.

Ook ik als schuldeiser zou nu al moeten afrekenen. Als ik erop aandring dat ik er nog één dag over na wil denken, accepteert hij dat. 'Je bent een uitzondering, hoor,' zegt hij.

Ik sla de volgende dag telefonisch hun aanbod af. Ik ontloop op deze manier ook de 500 euro voorrijkosten. In het gesprekje zijn me hun methodes al pijnlijk duidelijk geworden.

'Als wij het niet krijgen, krijgt niemand het.'

De Incassoman komt precies op tijd op de afgesproken plek. 'Joost' heeft zijn eerste kop koffie al op. Hij draagt de bodywarmer met de ingebouwde verborgen camera-apparatuur om het gesprek vast te leggen. De geblinddoekte auto staat volgens plan met de neus richting het restaurant geparkeerd. De cameraman achterin vangt het duo precies in zijn shot. De Incassoman slaat ferme, stoere taal uit. Geen taal die je van een keurig incassobureau zou verwachten.

'Mensen vinden het heel erg vervelend als je bij hen aan de deur komt. Als mensen een bedrijf hebben, dan gaan we nooit naar dat bedrijf toe. We gaan altijd 's avonds naar hun huis. Weet je wat die vrouwen dan zeggen? "Jan, die ellende wil ik niet aan de deur hebben. Betaal ze nu maar, dan zijn we er vanaf." En gewoon veel bellen en stalken. We halen wat dat betreft redelijk wat geld binnen. Dat is al vrij intimiderend, maar als het echt moeilijk wordt, neem ik twee extra jongens mee.

Dat zijn zulke grote jongens' – hij gebaart met zijn linkerhand hoog boven zijn hoofd – 'dan schrik je wel even.' De Incassoman gelooft ons verzonnen verhaal en wil meteen tot actie overgaan.

Ik zit te wachten in mijn gehuurde huisje, drie kwartier rijden bij hen vandaan. Het is een gure, druilerige dag vandaag. Toch heb ik de tuinset buiten gezet om het er bewoner uit te laten zien. Ik dood de tijd met scheren, bellen met collega's en de krant lezen.

De Incassoman en 'Joost' besluiten me direct een bezoek te brengen, met als doel mij de schuld te laten bekennen. Ze verlaten het restaurant. Joost mag mee, iets wat ik op dat moment niet weet. De geblinddoekte auto heeft zich bij het restaurant zo onopvallend mogelijk opgesteld, waardoor de Incassoman de auto waarschijnlijk niet heeft opgemerkt. Toch zetten we voor de zekerheid vandaag twee camera-auto's in. Het team verplaatst zich van de grijze in de zwarte auto. Het is belangrijk dat zij eerder in het park zijn dan mijn collega en de Incassoman. Daarvoor hebben we bedacht dat Joost een plaspauze zal inlassen bij een benzinepomp. Dat is tot in de puntjes voorbesproken. Daar kan hij ook zijn tape en accu van de verborgen camera wisselen. Onderweg doet de Incassoman zijn werkwijze verder uit de doeken.

'We hebben wel eens iemand zijn Rolex van zijn klauwen getrokken. Toen zeiden we: "Wanneer die 2500 euro betaald is, krijg jij je Rolex terug." Binnen twee dagen was het voor elkaar. Zo pak ik er een paar duizend euro per maand bij.'

De Incassoman geeft nog een voorbeeld. 'We hadden laatst iemand met een Bang & Olufsen thuis. Hem gaven we tijd voor een betalingsregeling. Ik zei: "Anders komen we binnenkort die spullen ophalen."' Dan maakt de Incassoman het wel heel bont. 'We laten hen dan een schuldbekentenis tekenen. Maar goed, dat tekenen wordt lichtelijk onder dwang gedaan.' De Incasso-man meldt nog dat zijn werkwijze 'legaal is in Nederland'. Ach-teraf een debiteur een schuldbekentenis laten tekenen, en dan nog onder dwang, is uiteraard verboden in Nederland. Dat zou elk incassobureau moeten weten.

'We hebben wel eens iemand zijn Rolex van zijn klauwen getrokken.'

Ondertussen zet ik in het vakantiepark de camera's aan. Dat gaat niet op afstand; ik moet zelf de camera's aanzetten en de REC-knoppen indrukken. Het vogelhuisje, de prullenbak, het cameraatje onder de vuilniszak, het pak cornflakes en de camera in mijn spijkerjack. Alles loopt. Het is nu wachten op het be-zoek.

Joost en de Incassoman hoeven niet ver meer te rijden. De Incassoman zit op de praatstoel. 'Mensen zijn gewoon bang voor de intimidatie. We proberen het eerst op een nette manier. Willen de mensen daar niet op reageren, dan gaan we een keer langs met een paar brede jongens. Deze zijn dan "toevallig" mee. Nou, dan begrijpen de meeste mensen de boodschap wel. Ik denk dat een normaal incassobureau deze zaak ook helemaal niet aanneemt, omdat er niks op papier staat. Als hij straks gaat piepen en zegt dat hij nooit geld heeft geleend, dan bel ik hem op. Dan zeg ik: "Jongen, je hebt nooit geld geleend? Ik was er toch zelf bij?" Dan gaan we de duimschroeven iets aandraaien. Blijft hij ontkennen, dan roep ik: "Dan komen we nu naar je toe. Even je geheugen iets opfrissen." Daar schrikken de mensen van.'

Een klein uurtje na hun vertrek bij het restaurant krijg ik een sms van een collega die honderden meters bij het vakantiepark vandaan staat. 'Ik zie ze.' Ik doe alsof ik rustig televisiekijk, maar 's middags is er eigenlijk niets zinnigs op tv. Dat zou hij nooit geloven, denk ik. Dan maar voor de tweede keer de krant lezen vandaag. De woning ziet er knus uit, maar De Incassoman weet niet dat de aangebroken zak chips, de halflege colafles en de borrelnootjes vanochtend speciaal voor deze gelegenheid zijn gekocht en neergezet. Ook alle andere spullen in het huisje heb ik de afgelopen dagen meegenomen. De slaapspullen, de kussens, mijn kleren; het lijkt erop dat ik hier al een tijdje verblijf.

Ik heb uitzicht op het looppad. Ik kan net niet zien dat de Incassoman en 'Joost' de auto parkeren. Ik sla weer een krantenpagina open, maar krijg van de inhoud niets mee, omdat ik met mijn gedachten bij deze onvoorspelbare situatie ben. Dan zie ik het duo plotseling het pad op lopen. Ik wist dat ze zouden komen en toch is het moment waarop het gebeurt een verrassing. Ik bedenk in een flits dat ze mooi het 'shot' binnenlopen en dan loop ik alvast richting de voordeur. Zal de Incassoman meteen dreigen? Is hij in het verhaal getrapt? Ik tast wat dat betreft volledig in het duister. We hebben dit moment uiteraard wel besproken, maar niet geoefend. Hopelijk verloopt ook deze situatie volgens plan, omdat we door de aanwezigheid van 'Joost' zelf de regie in handen hebben. Hij kan ingrijpen als dat nodig is.

Het is natuurlijk een bedreigende situatie voor elke debiteur die iets soortgelijks overkomt. Uit het niets komt je 'kennis' met een 'vriend' langs om zijn geld op te halen. En dat op een plek waar weinig tot geen controle is – in je huis – en niemand iets kan zien van de ontmoeting. Ik moet zeggen: ik vond het beklemmend.

Ik wacht het duo op en krijg geen kans goedendag te zeggen. De Incassoman heeft Joost opgedragen direct om het geld te vragen. 'Ik heb nog 5000 euro van je tegoed. Dat wil ik nu hebben.'

'Heb ik niet,' antwoord ik onwetend.

De Incassoman: 'Ik ben een kennis van Joost. Ik kijk even mee.'

Met het verzwijgen dat hij namens zijn incassobureau opereert, maakt de Incassoman direct een grove fout. Elk incasso-bureau hoort zich aan de deur als zodanig voor te stellen. Maar over wetten en regels zal de Incassoman zich tijdens de komende ontmoetingen sowieso niet druk maken. Overrompeling is zijn tactiek, in woord en gebaar.

Ik doe alsof ik geen geld heb en hou de boot af. Joost speelt dat hij boos is en reageert agressief op mijn afwijzing. 'Dat geld moet ik gewoon hebben. En mijn kennis gaat me daarbij helpen. Hij heeft er verstand van.'

De Incassoman valt hem bij. 'Er moet gewoon een duidelijke regeling komen, zodat we in ieder geval zicht hebben dat er wat komt. Nu heeft Joost het gevoel dat er niets zal komen. Dat kan niet de bedoeling zijn.'

Ik geef aan dat Joost moet begrijpen dat ik niet zomaar 5000 euro kan ophoesten.

De Incassoman: 'Er is toch wel iets wat je kunt missen?'

Ik zeg dat het geld er echt wel komt, maar dat ik het nu alleen niet heb. Dan quasi-kwaad: 'Het is klaar, weet je wel.'

De Incassoman: 'Ga er maar eens over nadenken. Het lijkt me verstandig dat je deze week even met Joost belt om het te regelen.'

Ik roep dat ik wel zal kijken wat ik kan doen en smijt de deur dicht.

Joost loopt met de Incassoman terug. Hij draait zich nog even om en we hebben kort oogcontact. Ik geef hem ietwat overmoedig een korte knipoog. De Incassoman ziet het gelukkig niet. Pas achteraf merk ik hoe onaangenaam ik de situatie vond.

Joost stapt bij de Incassoman in de auto. Hij laat zich afzetten op het treinstation. Zo heeft hij onderweg nog een halfuur om te evalueren en te overleggen wat nu te doen. Duidelijk is in elk geval dat de Incassoman beide partijen bijzonder serieus neemt. Hij is tevreden over het eerste bezoek. 'Zag je het? Dit werkt intimiderend. Hij is helemaal van slag. Hij heeft de schuld erkend en dat is het belangrijkste. Dit is de beste tactiek, hier kunnen twintig brieven niet tegenop. Als je dit soort mensen in een net pak gaat bezoeken, werkt het niet. Als ik dat gedaan had, dus als ik meteen gezegd had dat ik van een incassobureau was, dan was hij direct naar binnen gegaan en had hij de deur dichtgesmeten.'

Sommige zaken vielen de Incassoman wel wat tegen vandaag. 'Gert-Jan bezat geen waardevolle dingen. Als hij nu een Rolex, een Cartier of een ander duur horloge droeg, dan zouden we dat de volgende keer van zijn pols kunnen trekken. Helaas.' De Incassoman gaat door met waarmee hij op de heenweg was begonnen: verhalen over zijn intimidatietactieken. 'In Deventer woonde een man die mij aan de telefoon telkens wegdrukte. Toen zijn we naar hem toe gegaan met twee jongens. Ik zei: "Jongen, dat wegdrukken doen we niet meer. Wil je de boel op een onbeschofte manier oplossen, dan doen we met je mee." Nou, ook hij had snel betaald.'

Hij legt uit wat de volgende stappen zijn. 'We zetten hem steeds verder onder druk. Mocht dat niet lukken, dan neem ik gewoon wat andere jongens mee. De ene jongen doet aan profboksen in Duitsland en die andere is freefighter, dus daar doe je niks tegen. Die bokser kan niet praten. Hem moet je gewoon als intimidatiemiddel inzetten. Mijn jongens liggen niet wakker van deze Gert-Jan. Het is lekker rustig in het park, hij zit daar redelijk anoniem, dus kunnen mijn jongens zich daar goed uitleven.' Later in de montageruimten bekijk ik de beelden en hoor ik zelf ook wat de technieken zijn van de Incassoman. Ik weet waar ik op kan rekenen bij het volgende bezoek. Mijn gevoel daarbij is dubbel. Aan de ene kant weet ik als journalist dat we een goed verhaal hebben en dat we de 'juiste personen' op ons dak hebben gestuurd, aan de andere kant is er de onzekerheid over hoe ver ze zullen gaan. Gaan ze alleen maar dreigen? Gaan ze me slaan? Met hoeveel personen komen ze? Ik kan me er onmogelijk tegen wapenen. We huren geen beveiliging in, bellen niet vooraf met de politie. Ik vind dat ik voor die situatie niet kan weglopen, maar helemaal koud laat die gedachte me nu ook weer niet. Ik kan niet veel anders doen dan het op me laten afkomen. Ik concentreer me tijdens de voorbereidingen op de nieuwe opnamen daarom zo veel mogelijk op het journalistieke verhaal.

'Die bokser kan niet praten. Hem moet je gewoon als intimidatiemiddel inzetten. Mijn jongens liggen niet wakker van deze Gert-Jan. Het is lekker rustig in het park, hij zit daar redelijk anoniem, dus kunnen mijn jongens zich daar goed uitleven.'

Ik wacht in het huisje in het park. Nadat Joost afscheid heeft genomen van de Incassoman, weet ik pas dat zijn camera niet is ontdekt en dat voor hem de situatie weer veilig is. Ik hoor nu voor het eerst welk verhaal hij heeft opgedist. Om er zeker van te zijn dat het incassobureau niet toch stiekem mij of het verzonnen verhaal checkt en naar het park terugkomt, wacht ik nog een paar uur in het huisje en ga dan, niet meer als Gert-Jan maar als Alberto, terug naar de redactieruimte. Daar zie ik dat alleen het 'vuilniszakshot' onbruikbaar is. De wind heeft vlak voor de ontmoeting een blaadje precies voor de lens geblazen. Veel maakt het niet uit, want de overige camera's hebben de confrontatie haarscherp in beeld gebracht. De volgende keer zullen we echter ook met de windrichting rekening moeten houden.

In de dagen erna onderhoudt mijn collega als 'Joost' nauw contact met de Incassoman. Wat deze natuurlijk niet weet, is dat ik er telkens naast zit en dat alle gesprekken op tape worden vastgelegd. Ik weet het zogenaamd nog niet, maar ik moet straks als debiteur ook het incassobureau betalen. Dat heeft Joost met het incassobureau afgesproken. Volgens de Incassoman is dit een gebruikelijke methode, maar officieel geregistreerde incasseerders meldden me later dat de berekeningen die daarvoor gebruikt werden 'te belachelijk voor woorden' waren.

Ik moet in elk geval 15 procent van het schuldbedrag aan de Incassoman betalen, in dit geval dus 750 euro. Dat is boven op de 5000 euro die ik sowieso aan Joost moet betalen. De Incassoman tegen Joost: 'Betaalt hij een keer niet, dan bel je mij. Dan nemen wij het weer over. Dan brengen wij weer 10 procent in rekening. Straks rekenen we ook een vertragingsrente, 1 procent per maand. Dat is nu al bijna een jaar,' beredeneert de Incassoman op basis van ons verzonnen verhaal. 'Dus kan ik ook al 12 procent rente berekenen.' Ook die 12 procent rente per jaar is niet wettelijk. Op het moment dat Joost dit met de Incassoman bespreekt, is de rente officieel 4 procent. De Incassoman rekent dus drie keer zoveel rente als is toegestaan. De Incassoman laat weten dat hij niet van plan is dit lang te laten duren. 'We blijven niet aan de gang met er naartoe rijden. De volgende keer moet het klaar zijn.' Duidelijke taal.

Een week later komt mijn zogenaamde vriend opnieuw 'onaangekondigd' langs met de Incassoman. Ditmaal hebben ze versterking meegenomen. Het is de freefighter. Dezelfde camera's snorren weer en leggen opnieuw alles vast. Ook het 'vuilniszakshot' lukt deze keer.

De motortjes van de camera's maken overigens wel heel 'fijntjes' geluid. We dempen het geluid door handdoeken om de camera's te leggen. Dat hebben we tijdens onze checkrondes getest. De Incassoman kan de verborgen camera's onmogelijk horen. We hebben een extra microfoon boven de deurpost gehangen om niets van het gesprek te missen. Ditmaal draag ik zelf geen verborgen camera. Wanneer ze fysiek geweld zouden gebruiken en een van de incassomedewerkers zou aan me zitten, dan zou ik mijn cover direct kwijt zijn.

Opnieuw lopen Joost en de Incassoman via het looppad vanaf de parkeerplaats de hoek om. Het gesprek verloopt nu agressiever. De Incassoman stuurt een spervuur aan dwingende vragen op me af. 'Hoe gaan we dit oplossen? Waarom betaal je niet? Wanneer krijg ik het geld?' Dan roept hij dat ik 5600 euro moet betalen. Als ik vraag naar de verhoging van 600 euro en of hij een incassobureau vertegenwoordigt, bevestigt hij dat. De freefighter kijkt alleen maar. Hij is hier duidelijk alleen om indruk op mij te maken. Zonder een teken van de Incassoman komt hij kennelijk niet in actie. Overigens verrekent de Incassoman zich. Hij vergist zich 150 euro in zijn nadeel ten opzichte van wat hij met Joost had afgesproken. Later zou hij dat dubbel en dwars met zichzelf goedmaken.

Ik zeg opnieuw 'dat ik geen geld heb en dus ook geen 5000 euro kan betalen'. Ze komen dus voor niets nu. Voor niets omdat ze ook geen geld krijgen van Joost. Als híj niet door mij betaald wordt, kan hij het incassobureau ook niet betalen. Bij vertrek stelt de Incassoman een ultimatum. Tijdens het volgende bezoek, een week later, moet ik 2500 euro hebben klaarliggen.

'Zo niet?' vraag ik nog.

'Dat zie je dan wel,' antwoordt hij.

Ik stamel: 'Dan neem je nog meer van dit soort gasten mee zeker?'

Daarop lacht de Incassoman fijntjes. 'Zorg nu maar dat je het geld hebt. Maandag de eerste termijn.' Het trio druipt af en de Incassoman meldt 'Joost' dat het hoog tijd wordt dat er wat geld zijn kant op komt.

Joost: 'Als hij niet alles heeft?'

De Incassoman: 'Dan gaan we het anders doen. Maar ik geloof dat de boodschap redelijk is overgekomen.'

Een paar dagen later krijg ik op mijn undercovertelefoon een sms. De tekst voelt bedreigend. *Wees nou verstandig en regel wat, want wij vergeten jou niet. 5800 euro.* Dat is alweer 200 euro meer dan hij tijdens mijn vorige bezoek eiste. Ik reageer niet.

Het derde bezoek. Ik maak de avond ervoor alles alvast in orde. Die nacht slaap ik gewoon thuis. Ik heb sowieso niet al die tijd in het huisje gezeten. 'Joost' hield contact met de Incassoman en zo wisten wij precies wanneer hij zou komen.

De incassomedewerkers willen vandaag, zoals afgesproken, 2500 euro incasseren. Ik besluit om niet dat hele bedrag te betalen. Slechts 1000 euro zal ik zeggen te bezitten, terwijl ik toch duidelijk beloofd had 2500 euro te overhandigen. Ik weet niet wat hun reactie hierop zal zijn en draag voor de zekerheid weer geen verborgen camera.

De Incassoman arriveert via het looppad. 'Joost' mag ditmaal niet mee, de freefighter wel. Ik ben beducht op meer dreiging. Deze incasseerders zullen zich sterk maken voor Joost en met dit bedrag nemen ze vast geen genoegen. Denk ik.

'Ik heb het niet!' roep ik.

'Wat niet?'

'Het geld.'

Het duo blijft stil en kijkt me doordringend aan. Ongeloof. Het is wachten op de eerste tik, althans, zo voelt het. De freefighter kijkt ook naar de Incassoman. 'Mag ik?' hoor ik hem denken.

Recht blijven staan, denk ik.

'Wat heb je wel?'

Als ik nu 'niets' zou antwoorden, zou de Incassoman niet veel kunnen doen. Dat weet ik uit de gesprekken die we hebben opgenomen. Zo zei de Incassoman tegen Joost: 'Van een kale kip kunnen wij ook niets plukken.'

Vandaar dat we op de redactie vooraf hadden bepaald dat ik 'slechts 1000 euro' in het huisje heb. '1000 euro. Niet meer.'

'Ik wil het zien.' Aldus het bevel van de Incassoman, deze niet-geregistreerde incassomedewerker. Maar dáár denkt een gemiddelde debiteur op zo'n moment niet aan. Deze bezoekjes voelen heel bedreigend. De meesten laten het wel uit hun hoofd om te veel tegen te sputteren. Het enige wat door je hoofd spookt is de gedachte hoe je deze kerels zo snel mogelijk, zonder problemen, bij je huis vandaan krijgt.

Ik moet het geld laten zien. Ik loop de kamer in en pak het zorgvuldig voorbereide pakketje. Ze blijven gelukkig bij de voordeur staan en komen niet naar binnen om fysiek geweld te gebruiken.

'Hier, 1000 euro.'

De Incassoman pakt het geld aan. Ik bluf dat ik er natuurlijk wel een kwitantie van wil. Want tot nu toe heb ik nog steeds geen idee wie ik voor me heb. 'Heb je dan een papiertje voor me? En een pen?' Ik pak het allebei. De Incassoman krabbelt iets onleesbaars op het briefje. 'Wanneer heb je de rest?' Ik roep dat ik dat niet weet en dat ze dat vanzelf merken.

De Incassoman en zijn Stille Getuige zeggen hier 'niet lang genoegen mee te nemen. We staan snel weer bij je op de stoep. Heel snel.' Ik ga opnieuw een mondelinge afspraak aan met dit incassobureau. Het verbaast me al lang niet meer, maar ook dit is een verboden werkwijze. Mondelinge afspraken zijn met dit bureau officieel niet geldig.

Ik beloof de volgende keer minstens 1500 euro te hebben. Maar dan komt de verbazingwekkende ommekeer: nadat ze 1000 euro hebben ontvangen, heb ik geen bedreigingen meer gehad van het incassobureau.

Een week later zijn ze nog wel een keer bij me op bezoek geweest. Het gesprek verliep zonder problemen of dreigementen. Ook toen ik zei dat er 'geen geld meer was en ook niet te verwachten was'. De Incassoman en zijn helper accepteerden het en vertrokken. Maar nu gingen ze bij 'Joost' moeilijk doen. 'Er is niets te halen. Volgens mij heeft hij weinig cash. Tja, dan houdt het voor ons ook op.' Ofwel: 'Joost' kan óók naar zijn geld fluiten, want het geld is in z'n geheel bij de Incassoman gebleven. Ik heb dus in feite 1000 euro voor niets aan 'Joost' betaald. Alleen het incassobureau gaat er met het geld vandoor. Zíj zijn betaald voor hun bewezen diensten en laten het verder blijkbaar op z'n beloop. Deze heren hebben hun geld geïncasseerd en het is voor hen daarmee klaar. Naast de intimidaties richting debiteur laten ze nu dus de crediteur, hun klant, aan zijn lot over. Gelukkig heb ik de mogelijkheid om hier uit te stappen, in tegenstelling tot de echte slachtoffers van deze louche incasseerders. Zij weten namelijk niet dat het bureau onder deze omstandigheden afziet van verdere acties. Deze debiteuren zullen lange tijd met het idee moeten leven dat deze lui ieder moment weer onaangekondigd op de stoep kunnen staan.

De linke operatie zit erop. De illegale incassomethoden hebben we inmiddels duidelijk in beeld gebracht. De incassobureaus waar ik mee te maken had, gebruiken methoden van intimidaties in woord en gebaar en overtreden om de haverklap de wet. De Incassoman liet uiteindelijk zowel de debiteur als de crediteur in grote verontwaardiging achter. Zijn eigen zakken en die van zijn helpers werden daarentegen wél goed gevuld.

Mijn zogenaamde kennis 'Joost' laat het incassobureau nog weten dat wij onderling een regeling hebben getroffen, en dat hij verder geen gebruik meer wil maken van hun diensten. Met het geld wat ik al heb afgestaan zijn de incassokosten ruimschoots gedekt.

Ik zeg de huur op van het huisje en ruim alles op, van het pak cornflakes tot de colafles. Ik zet de tuinset binnen en rij het park uit. Ik heb er geen vrienden gemaakt. Niemand heeft iets gemerkt van de bedreigingen en intimidaties. Als de incassolui verder waren gegaan, wat ook geregeld gebeurt in Nederland, had niemand er iets van gemerkt. Een enge gedachte.

Een halfjaar na deze confrontaties staat de Incassoman met zijn auto achter mij bij het verkeerslicht. Hij ziet me niet – denk ik – en ik betrap mezelf erop dat ik naar hem wil blijven kijken. Hoe heeft hij de uitzending ervaren? Zou hij kwaad op me zijn of zou hij inzien dat ik gewoon mijn werk heb gedaan en een werkwijze heb vastgelegd die niet deugt en duidelijk verboden is? Zou hij dat hebben gedacht? Ik waag het te betwijfelen. Het maakt in dit geval ook niet meer uit. Terwijl ik links afsla, gaat de Incassoman rechtdoor...

OME JAN & CO

Criminelen zijn maar lastig met elkaar te vergelijken. Er zijn er die hun hand niet omdraaien voor een moord. Van een heel andere orde, maar niet minder erg, zijn de zieke geesten die hun fantasie om seks te hebben met kinderen in praktijk brengen. Weer anderen zijn puur bezig met geld verdienen en nemen het niet zo nauw met de manier waarop dat gebeurt, en dat is de grootste groep die ik tref. Een van de opvallendste personen in deze categorie was Ome Jan. Zo'n man die op feestjes en partijen het hoogste woord heeft, en niet geheimzinnig doet over zijn criminele handelingen, schatte ik in na het korte telefoongesprek dat ik met hem had.

'Hallo, met De Viagraman.'

'Hallo, ik heb uw advertentie gelezen. Kunnen we afspreken?'

'Ja, waar kom je vandaan?'

'Utrecht,' lieg ik.

'Ik sta langs de A28 van Zwolle naar Amersfoort. Ik sta op de parkeerplaats bij de McDonald's. Zorg dat je op tijd bent.'

De man was feitelijk en kort van stof. Toch klonk er ook iets vriendelijks door in zijn stem. Ik kon het moeilijk definiëren; het zal wel met zijn leeftijd te maken hebben. Duidelijk was dat ik te maken had met een oude man. Een bejaarde die illegale Viagrapillen slijt via krantenadvertenties en afspreekt op parkeerplaatsen om de deal af te ronden. Ik hoop toch op een andere oude dag. Nog een paar dagen en dan weet ik hoe hij eruitziet en hoe hij zijn handeltjes aan de man brengt.

Er zijn meer criminele ouden van dagen die ik de afgelopen jaren heb ontmoet. In het noorden van het land ben ik eens bij zo'n man op bezoek geweest. Ik schat hem zeker 60. Klein, iel. Echt een opaatje. Zijn vrouw had zijn dochter kunnen zijn. Ze scheelden een koplengte, zoveel groter was zij. Deze opa handelde, net als de Viagraman, in verboden erectiepillen. Toen ik bij hem thuis zat, beweerde deze bejaarde verkoper trots dat hij zeven jaar geleden de eerste Nederlander was die deze illegale Viagrapillen aanbood. Overigens was hij niet de enige die dat van zichzelf zei. Ome Jan, de Viagraman, vond dat hij de aanstichter en ontdekker was van de bloeiende illegale handel in erectiebevorderende pillen.

De oudste klant die dit echtpaar heeft, is 94 jaar oud. 'Hij sjouwt hier naar binnen met zo'n looprek, weet je wel. Ik dacht toen ik hieraan begon dat ik alleen maar oude mannetjes over de vloer zou krijgen. Echt niet.'

Ook bodybuilders waren vaste klant bij hem. 'Tot de sportschool aan toe, hoor.' Uithoudingsvermogen heet de reden. Zijn vrouw viel hem bij. 'Dan gaan ze naar een seksclub en dan willen ze na de eerste keer nog een meisje. Dan is het handig als je zo'n pil bij je hebt.'

De vrouw van deze handelaar was zelf ook blij met al die pillen in huis, zei ze. 'Als mannen klaarkomen, zijn ze vaak moe en gaan ze slapen. Of ze moeten even bijkomen en gaan dan slapen. Maar nu kan het best zijn dat als hij naar een seksfilm kijkt, dat hij zo weer een orgasme krijgt. Wij kunnen het wel vijf of zes keer per nacht.'

Deze verkoper had overigens zeeën van tijd om al zijn klanten te ontvangen. Hij zat in de ziektewet. Tja.

'Ik dacht toen ik hieraan begon dat ik alleen maar oude mannetjes over de vloer zou krijgen. Echt niet.'

Ik sta met het team op een parkeerplaats, even voor Harderwijk. Aangezien Ome Jan, de Viagraman, niet weet in wat voor auto ik rij, lijkt het me geen probleem een paar kilometer voor de afgesproken plek de camera's in orde te maken. We lopen maar een geringe kans dat Ome Jan toevallig hier is; ik weet dat hij van de andere kant aan komt rijden. Ook de cameramensen gaan hier pas achter in de volgauto zitten. Op de parkeerplaats verstop ik mijn verborgen camera in een handtas. Zo'n klein, haast verwijfd tasje dat ik op schoot kan houden. Privé zou ik er nooit mee gezien willen worden, maar het werkt verdomde handig. Alles voor een haarscherp beeld.

De Viagraman vond ik in *De Telegraaf*, met een kerstaanbieding en al, en een 06-nummer eronder. Veel louche handelaren opereren illegaal, maar adverteren wel open en bloot in kranten en op internet. Ik kan maar moeilijk aan dat idee wennen. Dat geldt ook voor de woordvoerder van de enige legale producent van Viagra, Pfizer, die ik een tijdje later hierover spreek op hun hoofdkantoor. Hij wil de illegaliteit liever gisteren dan vandaag aanpakken. Maar ook hij weet dat dat onmogelijk is. De aanbieders en kopers van deze officieel alleen op doktersrecept verkrijgbare pillen nemen nog iedere dag toe en politie, Justitie en FIOD-ECD hebben het nakijken. De kleintjes laten ze in elk geval lopen. Ze azen op de grote vissen. Veel van deze illegale handelaren zijn dan ook 'groot geworden door klein te blijven'. Zo blijven ze jarenlang uit handen van de wet.

Ik parkeer mijn auto zoals afgesproken op de parkeerplaats bij de McDonald's langs de A28 bij Nijkerk. Mijn collega's zijn me al een halfuur geleden voorgegaan en waren net op tijd om Ome Jan te zien aankomen. In dit geval staan de volgers precies zo opgesteld dat de cameraman mij en Ome Jan in een prachtig *two-shot* heeft. De cameraman kan eenvoudig met zijn camera bewegen, van mij naar de handelaar en weer terug. Ik draag voor deze gelegenheid een zender met microfoon. Deze heb ik ook alvast bevestigd op de vorige parkeerplaats, zodat ze mij goed verstaan en kunnen in- of uitzoomen als dat mogelijk en nodig is. Of een totaalplaatje van de auto kunnen maken. Of een *close-shot* van het interieur of van de uitlaat, zoals nu, om te laten zien dat Ome Jan tijdens de afspraak de motor van de auto laat lopen.

Wanneer ik kom aanrijden, controleer ik nog even snel of mijn camera loopt. Zonder beeld en geluid ben ik nergens. Alles is in orde. Ik parkeer enkele tientallen meters achter zijn auto. Zijn deur staat wagenwijd open, de motor staat te ronken. Ik stap in. Het gesprek verspringt vlot van 'goedendag', 'kom binnen', 'hallo John', naar de prijzen van de Viagrapillen.

Ik weet niet wat ik zie. Op zijn dashboard zie ik een kaartje met daarop alle bedragen van de verschillende Viagrapillen. Hij heeft ze in allerlei soorten en maten. En naar goed koopmansgebruik wordt het goedkoper naarmate je meer bestelt.

Bij afname van 100 pillen betaalt de klant 3 euro per stuk.
Bij 60 pillen – dat zijn 15 pakjes – 3,50 euro per stuk.
Bij 40 pillen – 10 pakjes dus – komen ze op 4 euro per stuk.
Bij 24 stuks – dat zijn 6 pakjes – in totaal 100 euro.

Deze kaartjes op het dashboard verwacht je in een taxi, als aanduiding voor de kilometerkosten. Maar in de auto van een illegale Viagrahandelaar is het een verrassende gewaarwording.

Ome Jan is 74 jaar oud. Hij gebruikt de pillen zelf ook, zegt hij. Al vierenhalf jaar. 'En ik leef nog steeds.' Een vreemde opmerking voor een verkoper. Hij adverteert met de originele Viagratabletten, maar in de auto biedt hij mij Kamagra aan. Als ik vraag naar de officiële Viagra, roept hij dat hij die niet kan leveren. 'Die kun je alleen bij de apotheek krijgen.' Hij denkt mij gerust te stellen. 'Er zit geen verschil tussen. Het zijn dezelfde bestanddelen. Sildenafil, voor 98 procent. Daar draait het om. Die 98 procent zit ook in Viagra. Elk medicijn heeft zijn bijwerkingen. Of je nu een aspirientje neemt of iets anders. Ze hebben allemaal bijwerkingen. Dat weet je zelf ook wel.'

'Hoe lang werkt 't?' vraag ik.

Volgens Ome Jan is dat voor iedereen verschillend. Bij hem werkt het drie kwartier. Dat het bij hem zo kort werkt, ligt volgens hem aan zijn leeftijd. De man praat vrijuit over zijn klantenbestand, zijn verkoopmethodes en zijn verdiensten. Wat hem verbaast is dat er zich bij hem zo veel jonge mensen als klant melden.

Ome Jan heeft alle uiterlijke kenmerken van een sjacheraar. Goud om zijn pols en zijn hals. Het goud ziet er echt uit, al ben ik geen kenner op dat gebied. Hij laat doorschemeren dat hij het een beetje vreemd vindt dat ik voor een paar pilletjes bij hem in de auto zit. 'Is het voor jezelf?'

'Ja', lieg ik opnieuw. Het kan hem uiteindelijk ook maar weinig schelen. Zolang ik maar niet van de politie ben...

De telefoon gaat. Ome Jan kucht. Proest.

Het toestel staat op *handsfree*. Ik kan het hele gesprek meeluisteren. Het is een klant. Het voelt als voyeurisme, in optima forma.

'Sorry. Ik ben vandaag verkouden. Met Jan, goedemiddag.'

'Ja, goedendag. Ik spreek met de Viagraman, toch?'

De man wil een paar strips hebben. Zoals dat ook bij mij ging, geeft Ome Jan hem twee mogelijkheden: óf opsturen per post, óf ophalen. Deze klant kan de pillen niet thuis ontvangen.

'Kunnen we niet wat afspreken?'

'Jazeker, dan moet je hiernaartoe komen.'

'Dan rij ik daar wel naartoe en dan bel ik je wel even op.'

'Ja, is goed. Maar je moet wel een halfuur, drie kwartier van tevoren bellen. Want ik ben ook de hele dag onderweg. Anders sta je er voor niks.'

'Ja, is goed. Ik bel je.'

Een lange hoestbui volgt. En een klaagzang. Dat het de hele dag doorgaat. Dat klanten hem moe maken. 'Wat wil je ook. Tachtig klanten per dag. Het is informatie hier, bestellen daar. Die moet hier naartoe, die moet daar naartoe. Die komt met de trein, die komt met de auto. Die zit daar en die zit daar. *Mensch, du Liebe.*' Er volgt opnieuw een lange, aanhoudende hoestbui.

Ik koop slechts voor een paar tientjes pillen van Ome Jan. Hij herhaalt dat hij het maar vreemd vindt dat ik zo weinig bestel. Voor een 'echte gebruiker' is dat natuurlijk ook zo. De volgende keer zou ik in dat geval opnieuw naar hem toe moeten rijden en die benzinekosten lopen in dat geval ook behoorlijk op. Hij gaat er nog altijd van uit dat ik helemaal uit Utrecht kom voor deze pillen. Nu hoef ik hem alleen maar in de waan te laten dat ik een gebruiker ben van Viagrapillen. Dat lukt, ook met deze kleine deal.

Wat ik gekocht heb, weet ik niet. Vier pillen Kamagra, maar daar houdt mijn informatie wel op. Niet veel later spreek ik daarover met professor Gooren van de Vrije Universiteit. Hij denkt dat de pillen uit India afkomstig zijn en dat de naam is afgeleid van kamasutra. India is een land met een geavanceerde farmaceutische industrie waar deze erectiepillen prima nagemaakt zouden kunnen worden. De Inspectie voor de Volksgezondheid waarschuwt me daarna ook voor deze pillen. Zij hebben veel van dergelijke illegale pillen onderzocht. Dan weer blijkt dat er niets in zit, dan weer treffen de onderzoekers cafeïne of amfetamine aan. Ook ik kan op het moment dat ik bij Ome Jan in de auto zit onmogelijk weten wat ik koop. Ik moet vertrouwen op deze illegale handelaar.

De handel in verboden erectiepillen in Nederland bloeit. De verkopers verdienen gemiddeld 5 euro per pil. Ook de georganiseerde criminaliteit krijgt daardoor steeds meer belangstelling voor deze illegale handel. Ik ontmoette deze handelaren overal in Nederland. Op de Wallen kocht ik de pillen vooral in seksshops. Daar liggen ze letterlijk onder de toonbank. Wel duur overigens, vier voor maar liefst 60 euro. Een van deze verkopers overhandigde me de pillen stiekem tussen de dildo's, tangaslipjes en pornovideo's door. 'Sst, de politie mag hier niet van afweten.' Drugsdealers op de Wallen stuurden me er naartoe, zij waren mijn gids. Ik voelde me er het lachertje op straat. 'Viagra!' schreeuwde er eentje. 'Kom op, man. Ik heb coke en pillen voor je. Oké?' Ik hield voet bij stuk, waardoor hij me uiteindelijk vertelde waar ik de Viagrapillen illegaal kon kopen. 'Wel goed spul, hoor. Niet de officiële, maar hij gaat er goed van overeind,' riep hij nog. Volgens mij had deze drugsdealer met me te doen, want toen hij wegliep, mompelde hij opnieuw: 'Tsss, Viagra.' Ik had op die manier ook met mezelf te doen, maar liet dat maar niet merken.

'Wel goed spul, hoor. Niet de officiële, maar hij gaat er goed van overeind.'

In de auto gaat de telefoon van Ome Jan opnieuw. Hij heeft ditmaal een medewerkster van TNT Post aan de lijn. Het gesprek gaat over allerlei pakketjes. Ze discussiëren over rekeningen. Het is me wel duidelijk dat de vrouw weet wie zij voor zich heeft. Wanneer zij ophangt, legt Ome Jan me uit dat het altijd zo'n gedoe is. Hij stuurt zijn klanten deze verboden pillen ook per post 'en dan heb je wel 'es wat gelazer'. 'Maar ik los dat altijd op.'

Ome Jan zucht en kreunt de hele tijd door. Hij klaagt over dat hij het zo druk heeft en last heeft van een vastzittende hoest. Ik ben geen arts, maar dit klinkt niet goed. We praten wat over zijn doktersbezoeken en dat hij ziekenhuis in en ziekenhuis uit gaat. Ik grap nog wat tegen hem dat het misschien wel door de Kamagra komt, want zo heten zijn pillen officieel. Afkomstig uit India, zegt-ie, en zeer goed spul. 'Nee, daar ligt het niet aan'. Ik laat Ome Jan in de waan dat ik werkelijk op zoek ben naar een erectie. Misschien bel ik hem later nog wel eens. Mijn bedoeling is deze man het komende jaar te blijven volgen. Hij zegt dat hij de hele dag druk is met de verkoop van de pillen en ik geloof hem. Dat maakt hem dan wel meteen een grootverdiener in deze Viagrascene. We nemen hartelijk afscheid.

Andere aanbieders op internet of in kranten beweren wel de echte pillen te verkopen. Bij een van hen kon ik vier pillen van 100 milligram per strip kopen, verpakt in het originele doosje, met bijsluiter erbij. 'Ze zijn officieel gemaakt voor de Oost-Europese markt. Ik heb ze laten importeren. Hier kan ik er een hoop geld mee vangen.' Deze verkoper werkt op mijn lachspieren door te verkondigen dat hij niet strafbaar bezig is. Dat terwijl ook hij weet dat de pillen in Nederland alleen op doktersrecept te verkrijgen zijn. Ik hou mijn gezicht in de plooi. Deze man vertelt me dat hij als klant veel homofiele jonge jongens heeft 'die lang door willen gaan'. Als ik aan hem vraag of ik, als ik een avondje ga stappen, de pillen tegelijk kan nemen met cocaïne en drank, zegt hij: 'In principe gaan die combinaties niet samen.' Tot zover is hij eerlijk. 'Ik weet dat het veel gedaan wordt, dus zou ik me er niet te veel zorgen over maken.' Of ik even wil afrekenen. Ook hij doet het al jaren, zegt hij. Van de politie of een andere controledienst heeft hij nooit last gehad.

'Je kunt het gewoon combineren met drank. Daar is het ook voor in het leven geroepen. Ik weet niet of je een vaste vriendin hebt, maar ik zou het op een ander meissie uittesten. Dat ding wordt kneiterhard.'

Ik verbaas me telkens weer over hoe eenvoudig men bakken met geld kan verdienen met deze illegale handel. Er adverteert zelfs een speciale Kamagra-lijn, een bestellijn. Hier wordt gewerkt met een 06-nummer. De schijn wordt opgehouden dat je een officieel bedrijf belt; het is een illegale eenmanszaak. De eigenaar wil met me afspreken op een parkeerplaats om de deal te sluiten. Ditmaal langs de A2, tussen Amsterdam en Utrecht. Ook deze koper handelt in mijn aanwezigheid telefoontjes af. Hij neemt de telefoon op met: 'Goedemiddag, u spreekt met de Erectielijn.' Ook hij beweert dat er geen verschil is met de pillen die ik via mijn huisarts zou krijgen. Het zou gaan om exact dezelfde samenstelling. 'Het enige verschil is dat er een andere naam aan hangt. Het wordt allemaal geproduceerd met hetzelfde werkzame bestanddeel sildenafilcitraat.' Van hem hoor ik wel voor het eerst de bijwerkingen. Zo heeft een klein percentage van de gebruikers last van een verstopte neus en een nog kleiner percentage krijgt volgens deze verkoper last van hoofdpijn. Ik leer veel over het gebruik van Viagra, zonder het zelf te gebruiken.

Deze 'Erectielijn' verkoopt verschillende pillen. Rode Caverta, dat zijn volgens de verkoper de sterkste. En de blauwe – daarmee doelt hij op Kamagra – worden volgens hem erg veel verkocht in het partycircuit en in parenclubs. Voor een tientje per stuk kun je ze daar kopen. 'Je kunt het gewoon combineren met drank. Daar is het ook voor in het leven geroepen. Ik weet niet of je een vaste vriendin hebt, maar ik zou het op een ander meissie uittesten. Dat ding wordt kneiterhard.'

Een paar maanden later bel ik opnieuw met Ome Jan. 'Dit is de voicemail van Ome Jan. Probeert u het later opnieuw.' Ik spreek de voicemail in en wacht af. Er gebeurt niets. Een paar uur later wordt er wel opgenomen. 'Hallo,' klinkt het vriendelijk. Ik herken de stem niet en vraag naar Ome Jan. 'Wie bent u?'

Ik leg uit dat ik een paar maanden geleden Ome Jan heb gesproken en dat ik hem nu weer wil spreken. Ik vertel hem niet dat het om Kamagra of andere pillen gaat; tenslotte weet ik niet wie ik aan de lijn heb.

'Ome Jan is overleden.'

Ik schrik en herhaal wat hij zegt. Ik had veel verwacht, behalve dit. Er spookt van alles door mijn hoofd. Ik zie hem daar weer zitten in die auto en ik merk dat ik dit bericht heel naar vind. Dit gun je niemand. En hoewel deze man zijn geld verdiende in de illegaliteit, vind ik dit verschrikkelijk. Ik wil nog meer vragen. Over hoe Ome Jan is overleden, wat er precies is gebeurd, maar de man die ik nu aan de telefoon heb, stuurt het gesprek direct een andere kant op. 'Maar u was een klant. U wilt spullen kopen? Dan belt u nog steeds goed, hoor. Ik ben zijn neefje en ik heb de zaak overgenomen.'

De zaak overgenomen. Alsof het een buurtwinkel betreft, ingeschreven bij de Kamer van Koophandel. 'Ome Jan zou het zo hebben gewild,' zegt hij erachteraan.

'Hij staat nog steeds op de voicemail, dus de zaken gaan gewoon door,' geeft de neef me nog mee voor ik ophang. Met deze neef van Ome Jan spreek ik ergens in het zuiden van ons land af, bij een groot wegrestaurant. Ik doe me voor als een wat grotere handelaar. Deze man weet natuurlijk niet hoe mijn verhouding lag met Ome Jan en misschien dat hij me in deze hoedanigheid serieuzer neemt en meer informatie aan me kwijt wil dan aan een normale klant.

'Ome Jan staat nog steeds op de voicemail, dus de zaken gaan gewoon door.'

In de tussentijd ontmoette ik nog meer illegale Viagrahandelaren. Volgens de FIOD-ECD-medewerkers die ik tijdens mijn researchperiode sprak, zijn dit de 'nieuwe XTC-boeren'. Het verbaasde me niets. Ik sprak hen van Groningen tot Limburg. Een van hen nam gerust zijn 12-jarig zoontje mee. 'Ach ja, het zijn geen drugs, hè.' Deze vorm van illegaliteit is zeer eenvoudig uitvoerbaar, goed vol te houden en maakt in korte tijd talloze nieuwe rijken.

Ik bestelde ook pillen in het buitenland, bij ene dr. Martinez. De Nederlandse advertentie suggereerde dat ik te maken had met een Spaanse huisarts, maar ik kwam er al snel achter dat dat niet klopte. Hoe? Gewoon door hem te bellen. Ik liet de spullen bezorgen op het postadres van het tv-productiebedrijf Noordkaap, dat gaat tot nu toe altijd goed. Ditmaal kwamen de pillen binnen op naam van Kees Pieper. Zelfs drugs – een stuk of wat XTC-pillen – heb ik zo wel eens laten komen op dat postadres, onder de naam Albert O. Ook dat was geen probleem.

Ik mailde dr. Martinez onder een andere naam – Gert-Jan Schepers – dat ik de pillen niet thuisbezorgd kon krijgen. Ik kreeg een telefoonnummer van zijn compagnon. Met hem sprak ik af bij de Kentucky Fried Chicken langs de A2.

'Je wilde het niet via de post doen?'

'Nee,' antwoordde ik. 'Mijn vriendin mag het niet zien.'

Deze verkoper beschreef de grotere handel. 'Als iemand een bestelling doet van duizend doosjes, dan gaan we er niet zomaar op af. Eerst de kat uit de boom kijken. Politie moeten we niet. Maar het is wel belangrijk voor ons. Er zijn namelijk genoeg mensen die onze pillen weer doorverkopen. Dus als er handelaren zijn die voor 30 euro een doosje kunnen kopen en zij verkopen het door voor 70 euro, dan weet je het wel.' Inderdaad, dikke handel.

Het is een uurtje of zeven en zo'n vier maanden na mijn gesprek met Ome Jan. Ik heb een afspraak met zijn neef. De volgauto staat in de hoek opgesteld om het gesprek met hem vast te leggen. We hebben ons goed voorbereid. Dus staat de auto zo gedraaid dat wanneer de neef eraan komt, hij niet met zijn koplampen naar binnen zal schijnen en daarmee de cameraman ontmaskert. Ik ben ruim op tijd, zodat ik de exacte locatie van het gesprek bepaal. Ik sta met mijn rug tegen de zijdeur van mijn auto. Ik kijk zodoende recht in de lens. Ook draag ik een bodywarmer waarin mijn verborgen camera met geluidsapparatuur zit weggewerkt. Een kwartiertje na het afgesproken tijdstip draait een auto – een BMW 7-serie –het terrein op. Nog groter en duurder dan die waarin zijn Ome Jan reed. Hij is er samen met zijn vrouw. 'Dansles hè. Wat moet het zijn?' Hij schakelt te snel. Ik probeer te vertragen. Een spel dat ik vaak speel. De verkopers willen vaak snel handelen, niet opvallen en weinig informatie geven. Ik wil zoveel mogelijk informatie, dat heeft tijd nodig en ik wil juist in het zicht van zoveel mogelijk collega's en camera's blijven. Dat wringt nog wel eens.

'Wat is er nu precies gebeurd met Ome Jan?' vraag ik. Ik zie hem denken. Ik kijk er ernstig bij en hij heeft het gevoel hier toch wel wat mee te moeten. Hij beschrijft kort wat er met Ome Jan aan de hand was. 'Hij had steeds hoofdpijn. Dus heb ik de dokter erbij gehaald. Die zei: "Laten we toch maar een scan maken." De scan is gemaakt en de dokter in het ziekenhuis gaf hem nog veertien dagen. Hij had kanker en uitzaaiingen in de hersenen. Binnen veertien dagen was het gebeurd. Maar hoeveel moest je er ook weer hebben?'

De neef doet de kofferbak open. Er liggen enkele tassen met zijn pilvoorraden. Hij pakt een paar strippen. Ik wil acht pillen, twee stripjes. Ik hoef verrassend genoeg slechts een tientje te betalen. De neef verklaart: 'Ik was iets te laat, dus laat de rest maar zitten.' Zijn vrouw, die voorin zit, kucht wat ongeduldig. De neef begrijpt het en wil vertrekken.

Ik blijf doorvragen naar Ome Jan en dat begint de neef op te vallen. Hij lijkt steeds meer het gevoel te hebben dat ik een band had met 'die ouwe'. Hij checkt nog wel een paar dingen. 'Waar spraken jullie dan af? Hoe was hij er toen aan toe?' Dat soort vragen.

Ome Jan redt dit gesprek, want ik weet zijn neef op een of andere manier te raken met míjn vragen. De informatie waarnaar ik op zoek ben, krijg ik hier ter plekke. Hij doet me uit de doeken hoe ze werken. Dat ze het al zeven jaar zo doen. Dat ze in elke regio vertegenwoordigers hebben. In Zoeterwoude, in Groningen, in Drenthe, in Friesland, zodat hij niet overal zelf naartoe hoeft te rijden. Deze heren komen af en toe een grote bestelling bij hem doen. Hijzelf haalt de pillen op uit India en 'het loopt als een tierelier'. Ik vraag of hij ook andere dingen kan regelen, zoals harddrugs. Ook dat is geen probleem. Daar moeten we maar eens over doorpraten, zegt hij. Hij moet naar binnen, zijn vrouw heeft het nu wel gehad. Als hij wegrijdt, besef ik dat ik de informatie te danken heb aan de dood van Ome Jan. Deze neef zou me anders nooit zo snel vertrouwd hebben. Als ik wegrij, merk ik dat ik nog met die ouwe te doen heb ook.

SEKSPARKEERPLAATSEN

De naakte waarheid

Een jaar of wat geleden reed ik er wel eens langs: Glimmermade, een parkeerplaats tussen Haren en Groningen. Op het oog
een stopplaats voor zakenlieden die een krant willen lezen of
een telefoontje moeten plegen. Maar in de Groninger volks-
mond stond de parkeerplaats beter bekend als Glibbermade; de
woordspeling behoeft geen toelichting. Glimmermade was
voor veel Groningers een begrip. 'Daar moet je niet naartoe
gaan, want daar zijn flikkers.' Er waren ook sporadisch verhalen
in kranten over potenrammers, maar daarover hoorde ik de
Groningers nooit.

Zo weten veel mensen in Nederland wel een park of parkeerplaats in hun omgeving die ze kennen of herkennen als homo-
ontmoetingsplek. Ik heb de meeste van deze plekken bezocht
als undercoverjournalist. Al met al heb ik het ervaren als een
surrealistisch, onvoorstelbaar geheel. Ik zag rondslingerende
condooms, gebruikte tissues, panty's in bomen, masturberende
mannen, af en toe een vrouw en neukende mannen. Maar ik zag
ook persoonlijk leed, kinderen, mannen met een dubbelleven
en onveilige seks.

Vooral hartje zomer is het op deze plekken een drukte van je-
welste, een krioelende massa. Honderden mannen zijn er tegelijk op zoek naar anonieme seks. Ik heb wel eens geprobeerd uit
te rekenen om hoeveel mannen het gaat. Er zijn ten minste
driehonderd van dit soort plekken in Nederland, en dan schat
ik het aan de lage kant. Ervan uitgaande dat er zo'n twintig

mannen per plek tegelijk cruisen – op een warme zomerdag is ook dat een voorzichtige schatting – betekent dat dus dat er zesduizend mensen op hetzelfde moment op zoek zijn naar seks. Als ik die berekening zou doortrekken – het gaat dag en nacht door – dan kom je zonder te overdrijven op tienduizenden mannen per etmaal. De mannen struinen door bosjes, praten nauwelijks met elkaar en de lust giert hen door het lijf. Ineens was ik een van die tienduizenden cruisers.

Niemand kende me en ik kon relatief eenvoudig deze sekswereld verkennen. Ik had mezelf voorgenomen op zoveel mogelijk parkeerplaatsen rond te kijken en zodoende te achterhalen of het om 'seksparkeerplaatsen' ging. En ik zou mijn best doen, undercover als homo, gesprekken te voeren met andere cruisers. Dat laatste lukte maar heel af en toe. De mannen die er komen zijn geil en willen vaak al dat gezeur eromheen niet. Ik wilde iets anders. Ik wilde weten wie deze mensen zijn en waarom ze hier zijn. Ik wilde Nederland laten zien dat dit een maatschappelijk diepgeworteld fenomeen is.

Er zijn snelwegen waaraan bijna iedere parkeerplaats een homo-ontmoetingsplaats is. Die tussen Zwolle en Amersfoort bijvoorbeeld, de A28. Tijdens de opnameperiode waren veel parkeerplaatsen daar het domein van cruisende homo's. Ik zeg: wáren het domein. Want na de uitzending van *Undercover in Nederland* is er op dat gebied veel veranderd. In de zomer van 2006 werd op veel parkeerplaatsen het 'probleem' aangepakt. Sommige parkeerplaatsen werden gesloten, op andere parkeerplaatsen werden zoveel mogelijk bomen gesnoeid. Het idee daarachter is dat het bezoekers onmogelijk wordt gemaakt anonieme seks te bedrijven. Maar de cruisers die ik sprak, zien het als het verschuiven van – of weglopen voor – het probleem. Volgens hen kunnen de groenwerkers een jaar later verderop beginnen met hetzelfde werk. 'We parkeren de auto simpelweg een stukje verderop, waar wel bosjes zijn,' zei een bezoeker. Ik heb die verschuiving zelf ook waargenomen. Toen De Bosberg bij Hilversum werd gesloten, verplaatste de seks zich naar een parkeerplaats aan de overkant. In Twente werden langs de A1 enkele seksparkeerplaatsen gesloten, waarop Staatsbosbeheer vervolgens bij de gemeente en de politie aan de bel trok met de mededeling dat de aangrenzende homo-ontmoetingsplaats veel drukker was geworden. En zo verplaatsten de seksparkeer-plaatsbezoekers zich met name het afgelopen jaar kriskras door ons land en ontstond er, uit het zicht van veel Nederlanders, een kleine exodus van cruisende homo's.

Seks in het openbaar mag, tenminste zolang je tijdens de vrij-partij de openbare orde niet verstoort of schennis pleegt. Som-mige bezoekers zijn brutaal en letten niet op de argeloze voor-bijgangers, en daar zijn er veel van. Die hebben het maar te slikken, ongeacht of ze dat wat ze zien aanstootgevend vinden of niet. Daarentegen weet de op seks beluste bezoeker van een seksparkeerplaats vaak niet waar hij aan toe is. Er is geen een-duidig landelijk beleid en zij moeten maar afgaan of 'wat ge-bruikelijk is in de regio'. Soms bekeuren de marechaussee en de politie naaktrecreanten en contactzoekers, soms knijpen ze een oogje toe. Al bespeur ik een trend dat er steeds harder wordt opgetreden, nog steeds is het zo dat er per gemeente anders wordt gereageerd.

De ene burgemeester is coulant – de burgemeester in Best bijvoorbeeld opperde eind 2004 homo-ontmoetingsplaatsen aan te wijzen als 'plekken met een zekere status' – andere bur-gemeesters zijn onverbiddelijk. Sommige gemeenten gebruiken hekken of stadswachten in de strijd tegen vrijende hetero's en homo's. In het voorjaar van 2006 kwam de burgemeester van de Friese gemeente Skasterlân in het nieuws met zijn voorstel om foto's te nemen van cruisende homo's op parkeerplaats De Lanen.

In Almere bij het Zilverstrand en het Almeerderzand, beide langs de A6 bij de Hollandse brug, heb ik borden zien hangen waarop stond te lezen dat overtreders van het verbod op seks worden gearresteerd op verdenking van 'schennis van de openbare eerbaarheid'. Hierop staat een geldboete van 250 tot 3000 euro, een celstraf van maximaal drie maanden of een taakstraf. In Leusden werden in 2003 twee mannen opgepakt wegens onzedelijk gedrag. De derde wist te ontkomen. De mannen waren bezig met seksuele handelingen. Een ervan was geheel ontbloot en de anderen waren schaars gekleed. Omdat het gedrag van de mannen overduidelijk zichtbaar was voor eventuele wandelaars, werd tot aanhouding besloten. De keren dat ik hetzelfde voor mijn ogen zag gebeuren waarbij niet werd opgetreden, zijn ontelbaar.

Het is dus maar net de vraag in welke gemeente je seks hebt en wie het binnen de gemeente voor het zeggen heeft. Sommige gemeentes gedogen, maar als je het als gemeente weer jarenlang gedoogt, kunnen de mannen een beroep doen op het gewoonterecht. Hoe het beleid er in een bepaalde regio ook uitziet, de meeste bezoekers trekken zich er maar weinig van aan.

In Amsterdam in de Nieuwe Meer, bij het park De Oeverlanden, probeerden ze het 'probleem' aan te pakken met *gaycops*: politiemensen in burger die folders uitdeelden en in contact moesten komen met de cruisende homo's. Zo hoopten ze op meer aangiftebereidheid bij slachtoffers van potenrammers of zakkenrollers. Een jaar later werden op dezelfde plek Schotse Hooglanders ingezet tegen de homo's. Deze beesten zouden moeten 'afschrikken'. In die periode liep ik er ook rond. De tientallen naakte mannen hadden weinig oog voor de Hooglanders die zich op hun beurt weinig van de cruisers leken aan te trekken. Ik liep er, op klaarlichte dag, als een van de weinigen met kleren aan. Iedereen ging hier op zoek, keek min of meer uitnodigend. Ik dus ook. De een masturbeerde, anderen vreeën met elkaar. Soms met een groepje, half beschut door de struiken en brandnetelbossen. Ik hoorde smakkende geluiden. Ik zag een jongen met een tas over zijn schouder, met daarin waarschijnlijk zijn kleren. Wat mannen hier deden, leek niet op flirten. Het was flaneren. Lelijk of mooi lijkt in deze wereld veel minder te tellen dan in de wereld daarbuiten. Ze waren open en bloot aan het naaktrecreëren, op een plek die daarvoor niet is aangewezen. En dat op nog geen honderd meter van een hotel en een McDonald's. Verder verbaasde ik me over het wandelpad dat dwars door dit openluchtsekstafereel heen loopt. Het was één grote 'dark'room bij daglicht. Met dat verschil dat er geen bordje boven de deur hing, waardoor hier de cruisende homowereld en de vaak onwetende burgerwereld elkaar mogelijk tegenkwamen.

Geweld op cruiseplekken, banen, homo-ontmoetingsplaatsen, seksparken of seksparkeerplaatsen, of hoe ze ook allemaal genoemd mogen worden, heb ik de afgelopen jaren niet één keer gezien. Wel overkwam me als televisiejournalist iets vervelends. Vlak voor de uitzending waren we mijn presentatieteksten aan het opnemen. Het leek me een aardig idee dit in een bos te doen. We kozen voor recreatiepark Het Twiske. Dit park stond bekend als homo-ontmoetingsplek, maar wij zouden niet zo ver het park in rijden.

Met grote lampen maakten we een kleine filmset van het park. Af en toe reden er wat auto's langs, maar de meeste mensen lieten ons ongestoord ons werk doen. Tot er ineens een autootje aan kwam scheuren met vier opgeschoten jongens erin. Een van hen riep: 'Wat zijn jullie aan het doen?' De cameraman wilde niet al te veel loslaten en riep iets over een mooie natuurfilm, een gebruikelijke reactie van een tv-ploeg op locatie die geen pottenkijkers wil en elke discussie wil vermijden. Ik was ook wel nieuwsgierig geworden en vroeg wat zij van plan waren deze avond. 'Poten rammen,' klonk het antwoord.

Jezus, dacht ik. Was ik een jaar lang op zoek naar geweld op seksparkeerplaatsen, zeiden deze jongens daarmee bezig te zijn.

Mijn hart begon sneller te kloppen van opwinding over het feit dat er nu 'potenrammers', die ik een jaar lang had gezocht, voor mijn neus stonden. 'Waar dan? Zijn hier poten?' riep ik om me maar zoveel mogelijk van de domme te houden en in hun taal te spreken. 'Ja, man. *Plenty*. Daarachter.' Ze wensten ons succes met onze natuurfilm en scheurden er weer vandoor. Ik keek hoopvol naar de cameraman, maar die had de camera nooit zo snel kunnen aanzetten. Ikzelf had nu natuurlijk geen verborgen camera draaien. Erachteraan dan maar, bedacht ik. Maar voordat ik tot actie kon overgaan, zag ik dat de jongens de andere kant op waren gereden. Of het nu bluf was of niet, ik zou deze 'potenrammers' in elk geval nooit meer zien en in de uitzending kon ik niets met het voorval.

Er zijn genoeg voorbeelden van verhalen over geweldsdelicten op parkeerplaatsen en over potenrammers. Het grote probleem is echter dat de bezoekers anoniem willen blijven en daardoor geen aangifte doen bij de politie. Ook zakkenrollen schijnt, volgens de verhalen op internet en van mensen die ik spreek, op veel plekken te gebeuren. Gewapend met knuppels zouden zelfs knokploegen naar de seksplekken komen en schreeuwen om geld. Bezoekers kiezen dan vaak eieren voor hun geld en werpen hun portemonnees op de grond. Ik heb zoiets in het jaar waarin ik cruiste nooit opgemerkt.

Het grootste risico dat ik een jaar lang signaleerde was het onveilig vrijen. Dat is voor veel bezoekers gewoonte geworden. Mijn bronnen zijn de honderden mannen die ik op de verschillende locaties sprak. Ze wisten natuurlijk niet dat ik undercoverjournalist was, ik was zogenaamd één van hen. Er was geen reden om te liegen en daarover stoer te doen. Dat is natuurlijk ook een van de redenen waarom ik undercover mijn werk doe: de waarheid boven tafel krijgen. Ik zag mannen onveilig seks hebben. Aanschouwde de taferelen. In het heetst van de strijd verliezen veel bezoekers hun hoofd en denken niet aan hun gezondheid – of willen er niet aan denken. Er zijn geen condoomautomaten en veel mannen zijn bang dat het 'verdacht' overkomt thuis condooms te bewaren.

Het fenomeen seksparkeerplaatsen is van alle jaargetijden. In de zomer bij dertig graden, maar ook in de winter bij temperaturen onder nul. Het is een ongeschreven regel dat er stilte heerst op de zogenoemde 'banen'. Cruisende mannen praten niet met elkaar. De spanning en de anonimiteit zouden daarvan afnemen. Ik zag er niet alleen oudere, getrouwde mannen, zoals men vaak verwacht. Dat is een vooroordeel dat leeft bij veel mensen, maar het is in elk geval niet van deze tijd. Jan en alleman loopt er, ziet een kick in seks in het openbaar. Ik zag exhibitionisten, studenten, voetbalfans, sm-liefhebbers. Ik filmde bizarre excessen. Mannen die elkaar aftrekken in groepjes van drie of vier bij elkaar. Een man in een auto op een parkeerplaats langs de A7 bij Heerenveen die op klaarlichte dag masturbeerde. Er stonden vier, vijf mannen omheen en hij kickte erop! Terwijl ik er bij stond, was er voortdurend een brommend geluid. Ik hing voorover om in zijn auto te kunnen filmen met de camera in mijn bodywarmer. Toen hij opkeek, vroeg ik hem zijn lichten uit te doen. Ik kon als homocruiser op dat moment niets beters bedenken. Hij startte de auto en vertrok. Mijn ongeloof is overdag nog groter; hoe kan iemand zich dan zo schaamteloos gedragen? Deze man was de schaamte voorbij.

Wat me vooral bijblijft zijn de nachtelijke bezoekjes. De koplampen: tientallen in het pikkedonker. Stoppen. Kijken in achteruitkijkspiegels. Het leek wel een disco voor auto's. Bestuurders die om elkaar heen rijden en wachten op het juiste moment. In een normale disco zie je wie je voor je hebt, of je hem of haar leuk vindt, hier zie je niet eens in welke kleur auto iemand rijdt.

Ook de wandelingen 's nachts op de plekken maakten indruk. In het donker gebeuren er meer vreemde zaken, 'die het daglicht niet kunnen verdragen', luidt niet voor niets de uitdrukking. Ik liep er vaak, met nog veel meer mannen. Je weet nooit hoeveel, daarvoor is het te donker. Omdat er niet wordt gesproken heerst er een vreemd soort spanning. Je wandelt op de tast, hoort gehijg of het opsnuiven van poppers. Ik liep er vaak met een collega. Af en toe kwamen we in gesprek met iemand, maar alleen het geluid was bruikbaar. Ik kon me voorstellen dat veel mensen zich er bang zouden voelen. Ik was gelukkig gewoon aan het werk. Dan dacht ik aan de techniek of aan de tactiek die ik moest gebruiken om met mensen in contact te komen. Zonder camera zou ook ik me daar al snel naakt voelen.

Wat heb ik ermee bereikt? Dat is moeilijk concreet aan te geven. Er wordt sinds de uitzending veel over gesproken, het onderwerp is zoals dat heet 'geagendeerd'. Met name het feit dat er zoveel aan onveilige seks wordt gedaan hield verschillende instanties bezig. Ik mocht bijvoorbeeld over dit onderwerp spreken op een topambtenarenconferentie van het ministerie van Volksgezondheid, Welzijn en Sport. De medewerker van dit ministerie had mij uitgenodigd, omdat ambtenaren het 'verhaal van de straat' konden gebruiken voor beter inzicht in de materie. Het onderwerp werd vaak doodgezwegen en dat wordt het nu niet meer. Of dat goed of slecht is, moeten anderen maar uitmaken. Ik zie het als mijn taak als journalist om verslag te doen van alles wat ik zie. Er zijn mensen geweest die me de reportage over seksparkeerplaatsen om verschillende redenen kwalijk namen. Ik sprak homo's die vonden dat ik hen aan de schandpaal had genageld en hun speeltje afpakte. 'Waar bemoei je je mee?' Anderen, uit het andere kamp, zeiden nooit meer normaal langs een parkeerplaats te kunnen rijden zonder te denken aan de seksorgies. 'Dit hoefde ik toch niet te weten?'

Natuurlijk, er gebeurt ook veel liefs, leuks, romantisch en doodgewoons op parkeerplaatsen. Maar daar ging deze aflevering niet over. Nieuws is datgene wat afwijkt van het normale. Plekken waarvan veel Nederlanders dachten dat ze deze kenden, veranderden door de uitzending van kleur. Ook in mijn ogen. Ook ik wist het niet. En ook ik raakte verbaasder naarmate ik er meer meemaakte. Maar het gebeurt. Bij jou en bij mij om de hoek. En waarom zouden we onze ogen daarvoor sluiten?

Anonieme bezoeker

Ik zit tegenover een seksparkeerplaatsbezoeker die anoniem zijn verhaal wil vertellen. Voor hem is het niet niks. Hij krijgt een cameraman, een geluidsman en een interviewer op bezoek die hij alle drie niet kent. En hij staat op het punt zijn grootste geheim met Nederland te delen. Zijn anonimiteit ligt in de handen van de man die tegenover hem zit. Die man ben ik.

Hij draagt een baseballpetje en een rode trui. We zitten in de keuken bij hem thuis. Ik verklap niet hoe ik aan zijn naam kom, dat heb ik met hem afgesproken. Hij is zenuwachtig. Zijn stem hapert. Ik wil het gesprek zo intiem mogelijk voeren, bijna een situatie creëren zoals hij die af en toe opzoekt 's nachts. De seks erbuiten latend dan.

Eerst een kop koffie, praten over koetjes en kalfjes. 'Voorpraten' is niet zo mijn aanpak. Daar wordt het meestal zo nep van, zo surrogaat. Je zult zien dat ze dan de leukste dingen zeggen.

De koffie is op. Dan eerst nog de gebruikelijke televisievoorbereidingen. Doe maar een lamp vanachter. Ja goed zo, hou vast. De voorkant is een zwart gat. Mooi. Is het geluid goed? Is hij anoniem genoeg? Zou je wat kunnen zeggen? Bedankt. We kunnen.

Hoe lang kom je er al?
Zolang ik mijn auto heb. Sinds vier of vijf jaar.

Waarom ga je er naartoe?
Om mijn behoefte te bevredigen. Dat is de enige reden. Sommige mensen vinden dat in een kroeg of op straat en ik in een park of op een parkeerplaats.

Waarom doe je dat niet in een kroeg of disco?
Hier is het slagingspercentage vrij hoog. Je kunt gericht zoeken en weet dat je dat daar wat kunt vinden.

Wat zoek je precies?
Een goede vraag. Ik zoek seks op de manier waarop ik dat graag zou willen.

Overleg je dat daar?
Nee, dat voel ik instinctief aan.

Praat je met de anderen?
Er wordt niet gesproken, dat is niet nodig. Je weet allebei wat je wilt. Als ik merk dat het niet zo gaat als ik zou willen, dan kleed ik me aan, draai ik me om en neem ik het initiatief om weg te gaan.

Bedenk je het thuis van tevoren of pas als je erlangs rijdt?
Ik ga er doelbewust naartoe. Ik ben thuis, ik zit op de bank, hang rond of zit achter de computer. Ik word geil en ik ga.

Zijn er altijd mensen?
Ja, er zijn altijd mensen. Je weet dat het op bepaalde momenten drukker is. In principe zijn er altijd mensen. Ik ga er naartoe als het donker is. Sowieso. Ik zou *never nooit* mensen die daar zijn voor andere bezigheden, zoals picknicken of de hond uitlaten, ermee willen lastigvallen. In het donker is de kans zeer klein dat je mensen met andere plannen tegenkomt.

Heb jij je wel eens onveilig gevoeld?
Ja, bij het geluid van brommers of iets wat daarop lijkt. Er is een keer een auto in het bos geweest met een camera. Flitsers, ze reden me achterna met flitsers. Tot nu toe heb ik er nooit wat van gehoord of gezien. Maar dat zit me dan niet lekker.

Hoe zit het met de verhalen over zakkenrollers?
Wel eens gehoord, maar zelf nooit echt mee geconfronteerd. Behalve die ene keer dan, dat fotograferen vanuit die auto.

Wat voor mannen komen daar?
Van alles. Van driedelig kostuum tot en met jongens van wie je je achter de oren moet krabben: is die meerderjarig? Het loopt er allemaal. Met één doel: seks hebben. Met z'n tweeën, z'n vijven of met z'n tienen.

Dat gaat niet altijd veilig. Heb jij het wel eens onveilig gedaan?
Ja. Dan zijn condooms niet voorhanden. Je zou moeten weten dat je ze voorhanden moet hebben. Dan overwint de geilheid en dan doe je het wel eens onveilig.

Gebeurt dat vaak?
Dat gebeurt... regelmatig. Het is een keuze die je maakt. Je kunt ook van tevoren zeggen: ik rij er naartoe, stop een condoom in m'n portemonnee en als het *moment suprème* daar is en er wordt geneukt, dat je dan een condoom omdoet. Daar wordt, is mijn ervaring, niet aan gedacht. Dat is een risico, dat neem je erbij.

Het risico is dat iemand aids heeft. Heb je daar vooraf over nagedacht?
Nee, vooraf denk je maar aan één ding. Je bent geil en gaat er naartoe. Je hoopt er te scoren en achteraf is de weg thuis naar de badkamer, naar de douche, snel gemaakt. Afspoelen. Want na afloop kun je je goed smerig voelen.

Hoe weet je dat het fenomeen bestaat?
Je krijgt het via via mee. Toen ik op school zat, kreeg ik te horen waar wat gebeurt. Ik werd nieuwsgierig, dat wil je zien. De eerste keer kon ik het niet vinden, ik had honderd meter door moeten rijden om het wel te vinden. De tweede keer, drie à vier maanden later, heb ik nog maar eens gekeken en toen vond ik het wel. Dan stap je met je hart boven in de keel de auto uit en dan ga je op ontdekking.

De eerste keer, wat zag je toen?
Veel mensen, veel mannen. Veel mannen op de fiets. Mannen die rondlopen met vreemde leren broeken met gedeelten waar leer had moeten zitten en waar geen leer zit. Ik was behoorlijk onder de indruk en verbaasd.

Verbaasd waarover?
Dat het zo leeft. Dat het eigenlijk een aparte wereld is, een wereld op zich.

Wordt er ook betaald?
Dat heb ik zelf nog nooit gezien of meegemaakt.

Warm weer, koud weer, sneeuw... altijd?
Regen kan een dilemma zijn. Warm of koud is geen probleem.

Mensen die er niets van afweten zullen er met afschuw op reageren. Veel mensen zullen het niet begrijpen. Kun je die mensen uitleggen waarom je het toch doet?
Ik denk dat het deels spanning is die van binnenuit komt, in combinatie met de opgewondenheid, de geilheid. Plus het feit dat je niet weet wat je tegenkomt. Als je bijvoorbeeld in de kroeg iemand versiert kun je er ook mee in bed belanden. Datzelfde heb je hier. Alleen is het geen kroeg, maar een bos of een parkeerplaats.

Maar je weet niet met wie je het gedaan hebt?
Nee, dat maakt het ook veilig. Omdat je de lusten kunt botvieren op een ander.

Komen er alleen mannen?
Ik denk veel heteromannen, ook getrouwde mannen. Alles loopt er.

Het zou mij niet verbazen als de helft gewoon getrouwd is.
Dat zou mij ook niet verbazen. Dus het is denk ik ook voor die groep mensen – hoewel ik niet voor die mensen kan spreken – een stuk veiligheid. In die omgeving seks hebben met mannen die ze niet kennen, daarna in de auto stappen en naar huis rijden. Naar eventueel vrouw en kinderen, en toch aan hun gerief zijn gekomen.

Ben je niet bang een bekende tegen te komen?
Dat is wel eens gebeurd. Dat is voor de ander net zo vervelend als voor mij. Je weet het niet van elkaar. Dat heb ik het afgelopen jaar geleerd.

En heb je diegene gesproken?
Nee, je herkent elkaar en loopt door. De volgende keer is er een verstandhouding. Dat is iets, dat hou je voor je. Dat is voor mij normaal. Ik zal er niet over kletsen.

Heb je wel eens last van de politie gehad?
Nee, eerder een bewondering... nee, te groot woord, respect. Ik heb ze wel zien rondrijden, maar ze zijn eerder beschermend. Er wordt gecontroleerd op een prettige manier.

Is het een probleem dat mannen elkaar daar ontmoeten?
Nee, ik vind dat iedereen het recht heeft op zijn of haar leven en de manier waarop iemand dat in wil vullen. Er zijn veel mensen

die er voldoening uit halen en zich er goed bij voelen. Ik zie het niet als een probleem.

Zou je de plekken waar het gebeurt moeten benoemen?
Nee, ik denk dat het voor de meeste mensen bekend is. Je hebt nu internet en de informatie gaat razendsnel.

www.seksparkeerplaatsen.nl
Ja, klopt.

Er is veel onveilige seks. Daar wordt niet over gesproken. Kan dat doorbroken worden?
Dat is vechten tegen de bierkaai. De spanning is voor iedereen anders. Sommige mannen zijn heel bewust bezig met hun lichaam. Maar er is ook een grote groep die het risico op de koop toe neemt. Mochten ze dan wel een geslachtsziekte of het hiv-virus oplopen, dan nemen ze dat voor lief. Hoe hard dat ook klinkt. Dat weegt niet op tegen de spanning van onveilig vrijen.

De korte kick, dat hoogtepunt, om daarvoor je leven in de waagschaal te leggen, dat gaat toch heel ver?
Maar die kick en hoogtepunten komen regelmatig terug. Het is niet eenmalig. Ik heb wekelijks of tweewekelijks de behoefte naar een parkeerplaats of bos te gaan of via internet af te spreken. Na de seks, wanneer je tot bezinning komt in de auto, dan weet ik dat ik fout bezig ben.

Dan denk ik: stop dan vier condooms in je portemonnee. Of is het dan ook niet zeker dat je het gebruikt?
Het ligt eraan hoe de seks gebeurt. Wat de andere partij ervan vindt. Soms gaat het heel snel, in een roes. Voor je het weet is het gebeurd, zonder condoom.

Zijn er veel kijkers?
Ja, maar wel kijkers die graag zouden willen meedoen. Ze proberen het. Soms laat je ze kijken. Ik heb er zelf niets mee. Ik vraag meestal erg vriendelijk of ze ergens anders naartoe willen gaan. Dat is vaak het enige wat je bespreekt die avond.

Er wordt niet gesproken?
Nee.

Maar het is pikkedonker...
Toch kun je non-verbaal herkennen dat iemand geïnteresseerd is. Dat merk je heel snel.

Hoe dan?
Het bewegen van A naar B. Elkaar volgen. Bewust blijven staan als de ander langsloopt. Als je niet geïnteresseerd bent, omdraaien en weglopen. Of het hoofd laten hangen, je wegdraaien.

Kies jij specifieke mensen uit?
Ja.

Waar baseer je je op? Het is toch donker...?
Je kiest mensen op het uiterlijk dat je nog kunt zien. Ik kom op plaatsen, af en toe, waar een lantaarn staat, waar een beetje licht is. Je ziet bepaalde contouren. Als je heel dicht langsloopt kun je iets van een gezicht zien. Dan denk ik: dat spreekt me aan. Dat is een lichaam, een gezicht of profiel dat mij aanspreekt. Iemand met wie ik op dat moment wel seks zou willen hebben.

Heb je een vaste relatie?
Nee.

Gehad?
Nee.

Ben jij hier voor het leven aan verslaafd?
Heb ik mezelf ook afgevraagd. Er zit een bepaalde spanning en kick in. En mocht ik een relatie krijgen, dan weet ik niet of de spanning of kick weggaat. Ik zou het echt niet weten. Het is een kick die komt en gaat. Soms frequenter, soms ook wel eens maanden niet.

Ben je bang voor brommers of scooters?
Je bent altijd op je hoede. Ik weet altijd waar ik mijn auto heb staan en hoe ik er moet komen. Heel gek, maar ik ben daar verder nooit mee bezig. Ik heb één keer een auto gezien, maar dat heeft geen effect gehad.

Móét je seks hebben als je er bent?
Ik kan ook terug naar huis, als ik niet kan vinden wat ik hoop tegen te komen. Het is moeilijk te definiëren. Ik zoek een bepaalde persoon of houding. En als dat niet lukt, ga ik naar huis.

Heb je alles verteld wat je kwijt wilt?
Ik denk dat ik alles verteld heb. Je vertelt dat je een programma wilt maken en het publiek kennis wilt laten maken met een groep mensen en een wereld die niet echt bekend zijn. Ik denk dat een grote groep die zich in het wereldje ophoudt dat zo wil houden. Voor hen is het een veilig gevoel om hun seksuele escapades te kunnen botvieren en daarna eventueel naar vrouw en kinderen te kunnen gaan. Ik hoef dat eigenlijk aan niemand kwijt. Maar het mag wel verteld worden.

Waarom wil je wel je verhaal vertellen?
Het vertellen van mijn verhaal kost me moeite, maar ik vind het belangrijk dat ik het een keer vertel. Dat wat ik jarenlang denk en doe, dat ik dat ook een keer in woorden uitspreek. Dat ik misschien voor mezelf dingen anders kan benaderen en over

bepaalde zaken beter kan nadenken over hoe ik die in de toekomst kan aanpakken.

Condooms in je portemonnee doen, bijvoorbeeld.
Minimaal vier, zei je...

Mijn drukste dag als homocruiser

Donderdag 5 augustus 2004

6.30 uur Ik sta op met mijn dagelijks ritueel: scheren, douchen, tandenpoetsen en aankleden. Tot zover niets bijzonders. Of het moet de wetenschap zijn dat ik vandaag een homocruiser ben die zogenaamd op zoek gaat naar anonieme seks op parkeerplaatsen langs de Nederlandse snelweg. Ik heb nog even getwijfeld over wat ik aan zou moeten trekken, maar ik hou het op een spijkerbroek en een blauw T-shirt. Een halfuurtje nadat mijn wekker is gegaan, verlaat ik mijn huis. Mijn buurman komt tegelijk met mij zijn deur uit. Ik ontmoet hem op dit tijdstip vaker. Meestal groeten we elkaar en wensen we elkaar een fijne dag. Zo ook vandaag. 'Veel plezier op je werk,' roept hij. 'Bedankt. Jij ook veel plezier.'

Zelfs zo'n normaal gesprekje voelt anders als je vreemde voornemens hebt. Hij moest eens weten... We lopen nog even samen op naar buiten. De zon is op dit uur van de dag nog niet zo fel, maar het is al wel duidelijk dat de weermannen gelijk krijgen: het wordt een hete, zomerse dag.

7.30 uur Ik rij over de A1 naar het werk. Radio 1 vergezelt me met weinig schokkend nieuws. Ik denk na over wat me te wachten staat. Het is mijn eerste dag als homocruiser, dus wat kun je verwachten? Stel je eens voor dat ik een bekende van me tegenkom. Wat moet ik dan doen? Hij zal denken dat ik ook een bezoeker ben. Ik probeer het uit mijn hoofd te zetten. Vlak voor Amersfoort zie ik aan de andere kant van de weg parkeerplaats De Haar liggen. Ik ken het van internet als seksparkeerplaats, gevonden op www.seksparkeerplaatsen.nl. Er staan een stuk of tien auto's. Ik zie nog net een man de bosjes in lopen. Misschien ben ik wel te laat, schiet het door mijn hoofd. Ook op dit uur van de dag zijn er blijkbaar mannen. Wat doen ze er? Zouden de geruchten kloppen? Volgens het draaiboek dat we deze week hebben gemaakt, komen we hier vanmiddag langs. Ik baal ervan dat ik niet nu alle camera's en collega's bij me heb. De berichten op internet hebben me behalve verbaasd, ook zeer nieuwsgierig gemaakt.

8.30 uur Ik kom aan bij tv-productiebedrijf Noordkaap. Over een halfuur heb ik hier afgesproken met drie collega's. Een cameraman, een geluidsman en een editor die zijn montagesets vandaag heeft ingeruild voor de rol van homocruiser. Ze weten wat hun te wachten staat. Ik heb hun op het hart gedrukt er met niemand over te praten, ook niet met hun geliefden. Ik ben als de dood dat veel te vroeg uitlekt dat we met dit programma bezig zijn en dat anderen ons voor zijn. Ook de onderwerpen wil ik angstvallig geheimhouden. Soms sla ik daar wel wat in door, maar nog steeds vind ik dat je er niet voorzichtig genoeg mee kunt zijn.

9.00 uur De ploeg is compleet en we prepareren de spullen. Het is nu nog een heel gedoe: we zoeken alles zelf bij elkaar en lopen, voordat we vertrekken, alles altijd nog een keer helemaal door. *Check, dubbelcheck* is nu nog van toepassing, maar over enkele maanden zal de technische voorbereiding een automatisme zijn. De cameraman maakt de ramen van de auto schoon. Een smerige ruit maakt het beeld onduidelijker. Het zijn details, maar die kunnen soms de doorslag geven. De geluidsman hangt de doeken op en de editor en ik maken de verborgen camera's in orde. Ik had verwacht dat de sfeer vanochtend wat lacherig of melig zou zijn, maar het tegendeel is waar. Alsof we met deze kleine ploeg iets groots aan het doen zijn. Als alles klaarstaat, bespreken we nog eenmaal het draaiboek van deze lange, onvoorspelbare dag. Ikzelf zal geen kopietje van het draaiboek in mijn auto bewaren vandaag. Stel je voor dat iemand onaangekondigd bij me in de auto stapt en het papier vindt! Ik wil de mogelijkheid openhouden in mijn auto een gesprek te kunnen voeren en heb daarom het plan uit mijn hoofd geleerd: via de A28 naar Amersfoort, Hilversum, door de polder naar Friesland. Later zullen we de parkeerplaatsen elders in het land bezoeken.

We gaan vandaag met drie auto's op pad. De editor rijdt met zijn eigen auto. Ook hij doet zich voor als homocruiser, maar zal vooral op de parkeerplaats blijven. Daarom zullen we straks eerst even stoppen bij een benzinepomp om een krant te kopen, zodat hij wat te doen heeft als hij moet wachten. Dat valt het minste op, had hij terecht bedacht. De tweede auto is mijn eigen vw Golf, die bestuur ik zelf. De derde auto is de volgauto, het domein van de cameraman en de geluidsman, die ook zelf rijdt. Zij vertrekken als eerste om bij de parkeerplaatsen te stoppen. De editor rijdt als laatste en zal zo'n vijf minuten na mij op de parkeerplaatsen arriveren.

11.00 uur Ik parkeer mijn auto op de eerste parkeerplaats van vandaag, zoals afgesproken iets voorbij Zwolle langs de A28. Om zoveel mogelijk tape te kunnen gebruiken, heb ik pas vijf minuten geleden de verborgen camera aangezet. Hier is het nog niet heel druk. Het is een vreemd idee dat dit een seksparkeerplaats is. Dat weet ik overigens ook niet zeker, omdat internet daarin erg onbetrouwbaar is en de berichten daar elkaar tegenspreken. Verder heb ik nergens literatuur kunnen vinden; er is gewoonweg weinig tot niets over dit fenomeen bekend.

Er staan een paar auto's. Iemand zit de krant te lezen. Even schiet ik in de lach omdat ik aan mijn collega moet denken die er straks net zo bij zal zitten. Het is natuurlijk heel normaal dat je op dit tijdstip op een parkeerplaats stopt om een krant te lezen of te bellen. Wat moet je er anders doen?

Ik stap uit en loop over het trottoir. Er grenst een bos aan de parkeerplaats en het is lastig in te schatten hoe diep het bos is. Ik wandel rustig een klein stukje de bossen in en zie overal condooms en servetten liggen. Een man staart me aan en gebaart dat ik hem moet volgen. Wie A zegt moet B zeggen, bedenk ik, en ik loop dan ook een stukje met hem mee. Er spookt van alles door mijn hoofd. Maanden later zou dit kinderspel zijn, maar nu, de eerste keer, weet ik nog niet hoe het spel gespeeld wordt. Waar brengt hij me naartoe? Hoe afgelegen wil hij staan en wat gebeurt er als blijkt dat ik niet wil?

Hij blijft staan en draait zich om. Nu ik blijkbaar te veel afstand hou en erg voorzichtig loop, heb ik misschien wel de verkeerde signalen afgegeven. In elk geval loopt de man terug naar de parkeerplaats. Ik knoop een gesprek met hem aan.

'We komen hier voor hetzelfde?'

'Ik denk het wel.'

We praten wat over Bunschoten – ik heb hem verteld dat ik daar naartoe moet – en over de politie die hier nooit komt. Ik loop terug naar de auto en rij door naar een volgende parkeerplaats aan de overkant. Daar staat het bomvol met auto's. Als je er voor het eerst op komt rijden, biedt de parkeerplaats een aanblik die je zou verwachten: een paar mensen picknicken aan een tafel, er lopen wat mensen rond om een sigaretje te roken. Anderen zitten rustig op een bankje te kijken naar de nieuwe bezoeker. Niets is in eerste instantie vreemd aan de situatie. Maar als je goed kijkt, valt op dat er te veel auto's voor te weinig mensen zijn. Het lijkt daardoor wel een carpoolplaats.

Als ik uitstap, zijn alle ogen op me gericht. Misschien zou dat me normaal gesproken niet opvallen, maar nu ben ik me er heel bewust van. Er is veel contact, juist vanuit de ooghoeken. Mannen die in de auto blijven zitten houden in de spiegels zorgvuldig in de gaten wie er aan komt lopen. Ik loop over het trottoir langs de geparkeerde auto's. Ik zie dat een man met zijn penis speelt, al heeft hij zijn gulp nog dicht. Hij doet het ongegeneerd en kijkt me aan met een uitnodigende blik. Ik geloof mijn ogen niet. Het is halftwaalf 's ochtends! Nederland is aan het werk of op vakantie en deze man is op klaarlichte dag op een parkeerplaats op zoek naar seks. Ik loop door.

Een vrachtwagenchauffeur stapt uit zijn truck en komt op me af lopen. Op de truck staat in grote letters de naam van een Nederlands transportbedrijf. Zou hij ook... ik kan het me nauwelijks voorstellen. Een paar maanden later zou ik wel beter weten. Als hij hier niet zou komen voor seks, zou hij de uitzondering zijn die de regel bevestigt.

De chauffeur loopt tussen de bomen door richting het spoor. De trein raast voorbij en ik vraag me af of inzittenden iets meekrijgen van de bedrijvigheid van deze plek. Ik heb zelf ook vaak in deze trein gezeten tussen Amersfoort en Zwolle, maar mij was nooit iets opgevallen. Volgende keer beter opletten, neem ik me voor.

Overal waar ik kijk, zie ik mannen. De meeste staan verscholen achter bomen of struiken, maar een enkeling is duidelijk zichtbaar vanaf de wandelpaden. Sommigen hebben zelfs de broek op hun enkels.

Ik zie de chauffeur lopen. Hij heeft blijkbaar haast, want hij heeft er de pas goed in.

Ik loop achter hem aan. De cameraploeg die me al die tijd op de voet is blijven volgen, kan me vanaf nu niet meer zien. Ik heb zeker al honderden meters gelopen als ik de man uit het oog verlies. Zou hij toch niet op zoek zijn naar seks? Zou hij andere bedoelingen hebben?

Dan duikt hij plotseling op van achter een boom. Hij masturbeert en kijkt me aan. Of het uitnodigend is bedoeld of geil, ik weet het niet. Ik bedenk dat ik maar weer eens terug moet en draai me om.

'Durf je niet?' vraagt de man.

'Nou, eh, nee. Ik ga maar weer terug,' zeg ik en ik loop nu echt door.

In de zender spreek ik zacht: 'Ik kom terug.'

Dan, alsof hij zojuist door een gifslang is gebeten, haalt de man me in.

Dat heeft-ie snel gedaan, denk ik.

We lopen terug en aan de linkerkant van de struiken komt een klein jongetje de bosjes uit gelopen. Hij heeft er geplast en rent nu terug naar zijn ouders, die voor de caravan zitten. Het jongetje loopt dezelfde weg terug die ik op de heenweg ben gelopen, dus langs al die mannen die daar staan te masturberen en elkaar lopen op te geilen. 'Godverdomme,' roep ik tegen mijn collega's in de zender. 'Moet je dat jongetje zien. Dit is toch niet normaal. Twee werelden komen samen. Verdomme.' Ik hoop dat de heren nog wel het fatsoen hadden, toen ze het jongetje zagen naderen, om zich om te draaien.

Ik loop over het trottoir langs de geparkeerde auto's. Ik zie dat een man met zijn penis speelt, al heeft hij zijn gulp nog dicht. Hij doet het ongegeneerd en kijkt me aan met een uitnodigende blik. Ik geloof mijn ogen niet. Het is halftwaalf 's ochtends!

Dat is iets wat me de komende maanden vaker zou opvallen: hoe de normale burgerwereld en deze cruisende homowereld elkaar vaak bijna raken. Dat kan toch niet de bedoeling zijn? Ik stap in de auto en rij door naar de volgende parkeerplaats.

13.00 uur We rijden door richting Amersfoort. Een uitgebreide lunch schiet erbij in. Bij een benzinepomp slaan we broodjes en drank in. Ik neem de volgende afslag en wacht op de cameraploeg. Even overleg. Het is snikheet geworden vandaag en voor de cameraman achter in de auto is het geen pretje. Bovendien kan hij maar lastig zijn kont keren; het is er vrij krap. Hij kan hier even zijn benen strekken, maar afkoelen is helaas lastig.

We kijken elkaar ongelovig aan. Hebben we inderdaad gezien wat we hebben gezien? We zijn er melig van en moeten ons verhaal kwijt. Iedereen had iets anders gezien. 'Ik rij hier verdomme vaak genoeg langs en dit is me nog nooit opgevallen,' zegt de geluidsman opgewonden.

'Daarvoor ben je ook geluidsman,' reageert de cameraman ad rem.

'Blinde,' grapt de geluidsman terug. De sfeer zit er goed in.

'Heb je dat jongetje kunnen filmen?' vraag ik.

'Ja.' Mooi.

Iedereen wil zien wat ik aan beeldmateriaal heb verzameld. We kijken ter plekke snel wat scènes terug. Een kwartiertje later gaan er nieuwe tapes in de camera's en rijden we door. Op een carpoolplaats, vlak voor Amersfoort, stap ik uit. In de lijst op internet had ik deze niet gezien, maar ik stop er toch maar even. Ook hier is het raak.

Er staan meer auto's dan er mensen zijn, maar de mannen die er zijn lopen wel zoekend rond. Een man zit in een vw Polo en draait een sjekkie. Het ziet ernaar uit dat hij een van de weinigen is die hier niet voor seks komt. Ik babbel wat met hem over het weer. De ploeg schiet nog wat algemene beelden en dan rij ik door.

De volgauto vertrekt als eerste, zodat de cameraman direct een shot kan maken als ik kom aanrijden. Ik krijg een sms'je als ze klaar staan: 'Weer raak hier. Ongelooflijk. We staan er helemaal klaar voor. Succes en hou 'm recht ☺.'

Leuk, die sms'jes.

13.45 uur Ik kom aan op parkeerplaats De Haar, vlak voor

Amersfoort. Vanochtend was ik er ook al langs gereden, maar dan van de andere kant. Het is een open parkeerplaats die je vanaf de snelweg goed kunt zien. Twee- of driehonderd meter lang. Als je de uitvoegstrook neemt en je rijdt de parkeerplaats op, kun je zowel rechts als links parkeren. In totaal is er plek voor zo'n zestig auto's, schat ik.

Ik stap uit. De editor is met een verborgen cameratas op een bankje gaan zitten. Het lijkt me handig om daar eerst even langs te lopen, zodat we dat loopshot alvast hebben.

'Stel dat ik nu gewoon een plasje wil plegen,' zeg ik in de zendermicrofoon. 'Dat kan dus niet.'

Dat kan niet omdat ik ook hier alleen maar cruisende mannen zie. Mannen in motorpakken, mannen op slippers, mannen met petjes, mannen met zonnebrillen, zakenmannen, oude mannen, jonge mannen en ook hier weer een man in een VW Polo die zijn sjekkie rookt.

Ze lopen heen en weer. Blijven soms even staan en lopen dan weer verder. Ze kijken ook allemaal even in de auto's als er mannen in zitten. Ik doe hetzelfde en verbaas me er al een stuk minder over dat ik zo af en toe mannen zie masturberen.

Ik loop richting de bosjes. Een groenstrook van niet meer dan vijf meter, grenzend aan de parkeerplaats. In tegenstelling tot de vorige parkeerplaats lijkt het niet op een klein bos; daarvoor is deze groenstrook te klein.

Ik loop twee meter verderop bijna een man omver. Hij staat te masturberen, meteen om de hoek, in het zicht van alles en iedereen. 'Hallo,' zeg ik en ik loop verder.

Even verderop zie ik twee mannen. De ene zit gehurkt voor de ander. Ik loop zwijgend langs.

Een andere man verschijnt uit een van de bosjes. Hij heeft me tussen de takken door blijkbaar in de gaten gehouden en loopt recht op me af. Ik wil een gesprek aanknopen, maar hoe begin je zoiets?

'Lastig hè, die muggen?' probeer ik.

'Mmmm,' mompelt hij.

Ik babbel wat over het uitzicht – we kijken naar een paar goed gevulde schapenweiden – en dat kan hem weinig schelen. Om ons heen hebben mannen seks met elkaar. Waar ik ook kijk. Soms met z'n tweeën of drieën, soms zijn het orgies met nog meer mannen.

Ik vervolg mijn gesprek.

'Kom je hier vaak?'

Interesse gewekt.

'Jazeker. Maar je moet hier wel oppassen. Als de politie komt, dan ben je erbij. Het gebeurt hier ook dat je met meerdere mannen tegelijk bezig bent. De politie gedoogt het hele jaar door hoor, maar in vakantietijd willen ze nog wel eens wat harder optreden.'

'Ook niet zo raar toch, met al die kinderen erbij?' vraag ik zonder een antwoord te verwachten.

Deze man begrijpt ook wel dat de politie af en toe eens een oogje in het zeil houdt. 'We willen toch geen anderen tot last zijn, wel dan? Maar ja, soms kun je niet anders. Dan kun je je gewoon niet bedwingen, weet je. Maar we zitten er wel mooi mee.' Hij trekt er een gezicht bij alsof ik een van hen ben. Ook een cruisende homo.

Of 'circuskind', zoals een andere man me later zou uitleggen. Die man vertelde me dat hij een dubbelleven leidde, met een vrouw en kinderen thuis op de bank. Dit móést hij doen, het kwam van binnenuit. Het was de spanning die hij niet kon bedwingen. Maar als hij dan naar een plek ging, voelde hij zich opgejaagd.

'Je weet namelijk nooit of de politie het wel of niet gedoogt. Soms treden ze op, dan weer laten ze het op hun beloop. Sommigen houden van de spanning elk moment gesnapt te kunnen worden, maar ik niet.'

Op het moment dat hij het tegen me zei, was het pikkedonker en stonden we op een trottoir. Ik zag werkelijk geen hand voor ogen en zou hem de volgende dag niet herkend hebben. Je praat met elkaar over de wezenlijkste dingen van het leven. Ik wist meer van hem dan zijn vrouw en zijn kinderen. Hij kon en wilde het zijn geliefden niet vertellen, uit angst het gezin te verliezen. Maar ondertussen had hij wekelijks wel een of twee keer seksueel contact met andere mannen. Vaak zonder condoom, 'want onveilig vrijen is hier niet abnormaal', gaf hij openlijk toe.

Mannen in motorpakken, mannen op slippers, mannen met petjes, mannen met zonnebrillen, zakenmannen, oude mannen, jonge mannen en ook hier weer een man in een vw Polo die zijn sjekkie rookt.

Dat is ook wat me misschien nog wel het meeste stoort en verbaast: de onveiligheid waarmee ze vrijen en waarmee ze anderen in het meest negatieve geval het leven ontnemen. Hoe kan dat? Dat je 's avonds na de koffie en het 8-uurjournaal zegt de hond uit te laten en dan, hup, in de auto springt om een uurtje – met de hond nog achter in de auto – snel anonieme en onveilige seks te hebben. Doe dan verdomme op zijn minst een condoom om! Maar ja, even meedenken: die moeten ze dan weer meenemen van huis, dat durven ze niet en zo is het cirkeltje rond.

Ook de man op parkeerplaats De Haar zegt dat veel mannen op deze seksparkeerplaatsen onveilige seks met elkaar hebben. 'Uit pure geilheid, hè. We hebben gewoon geen tijd te verliezen.' Hij stopt even met praten en kijkt omlaag. 'Ach, hij is al weer helemaal slap.' En hij doet zijn gulp dicht.

15.30 uur De Laatste Hoop is de bijnaam voor de volgende parkeerplaats. Ik stap uit en ga op een bankje zitten. Er staan opnieuw tientallen auto's. Ik loop onder het hek door, richting de bossen. Er kabbelt een watertje als afscheiding tussen de bossen en de woningen. De bewoners hebben uitzicht op wat hier gebeurt. En wat er gebeurt, zie ik snel genoeg. Mannen lopen heen en weer. Ik herken inmiddels de maniertjes, dit zijn geen picknickers of medewerkers van de groenvoorziening. Een man gaat in de schaduw staan. Hij vertelt me dat er 's avonds ook vrouwen komen. Dat er nooit politie is, dat ze het hier gedogen. Ik maak me uit de voeten door te zeggen dat ik meer op vrouwen val. 'O jammer, ik had je even lekker willen pijpen.' Mijn god, wat moet je daar nou weer op zeggen? Ik stamel dat ik voor hem hoop dat er elders in het bos iemand is die hem blij kan maken. En ik vertrek. Op weg naar mijn auto. Op weg naar meer seksparkeerplaatsen.

16.00 uur Ik hoef niet ver te rijden. Bij de eerste afslag eraf, de snelweg weer op en na een paar kilometer bevindt zich parkeerplaats De Bosberg, langs de A27 tussen Utrecht en Hilversum. Deze parkeerplaats met twee lagen blijkt een wereld op zich. Op de bovenste parkeerlaag stoppen dagelijks duizenden auto's. De mannen moeten door een groot hek dat speciaal gemaakt lijkt te zijn voor de cruisende kerels. Aan de andere kant van het hek ziet het leven er totaal anders uit. Mannen sissen naar me, kijken met een obsessieve blik in hun ogen. Enkelen zijn ook erg opdringerig. Ze lijken te denken: als je hier bent, komen we voor hetzelfde. Ze komen recht op hun doel af en vragen niet, maar dóén gewoon. En dat op klaarlichte dag. Iedereen kan deze mannen herkennen, maar dat lijkt hen niets te deren. Veel van deze mannen leiden weliswaar een dubbelleven, maar op het moment dat ze cruisen is er van bedachtzaamheid weinig sprake. De opmerking dat mannen alleen maar hun lul achterna lopen, is hier zeer van toepassing. En dat is dan ook nog eens het eufemisme van de eeuw.

Vandaag parkeer ik mijn auto op de bovenste laag. Ik rij helemaal door naar het eind waar nog precies één plekje vrij is. Ik wacht een tijdje in de auto en kan via de achteruitkijkspiegel alles prima in de gaten houden. Mannen lopen de bosjes in en uit en de parkeerplaats is helemaal gevuld. Bijna alle auto's zijn verlaten. Wanneer ik dat bijzondere tafereel zo een beetje heb gadegeslagen, besluit ik uit te stappen. Ik wandel op mijn dooie akkertje richting de drukte. Ik knoop er een gesprek aan met een man die staat te wachten op een manier dat het lijkt alsof hij wist dat ik eraan kwam. Deze man vindt het niet erg om een praatje te maken. Ik stel me wat onwennig op en zeg dat ik hier niet vaak kom. Hij is een ervaren bezoeker, zegt hij. Hij komt hier al jaren.

De man met wie ik hier praat is openhartig en deelt alle weetjes van De Bosberg met me. Dat zijn er veel: dat het bos kilometers lang door loopt, dat er orgies zijn, dat er veel getrouwde mannen komen en dat het 's avonds gevaarlijk is. Terwijl hij met me praat, kijk ik steeds om me heen. Daarbij is niet meer te ontkennen dat dit inderdaad een van de drukst bezochte seksparkeerplaatsen is van ons land.

De komende weken zal ik nog een paar keer terugkeren op De Bosberg. Ook 's nachts, de adviezen dit niet te doen daarbij in de wind slaand. Hier heb ik nog veel meer bizarre ontmoetingen. Bijvoorbeeld een man die als een blij hertje op mijn collega en mij afhuppelt en de meest absurde voorstellen doet. Hij verhaalt over hoe hij hier dames te grazen heeft genomen en weet in het donker een adres op te schrijven, ergens in het oosten van land. Daar moeten we maar naar schrijven als we wilde orgies wilden beleven. Die brief zal natuurlijk nooit geschreven worden...

Ook word ik een keer in mijn kont geknepen. Ik schrik er niet eens van. Ik zeg alleen maar: 'Niet doen!' en loop door.

17.30 uur Ik rij door naar Friesland, naar parkeerplaats De Lanen, tussen Emmeloord en Joure op de A6. Ik zie hier opnieuw massa's mannen; het is hier vandaag drukker dan op De

Bosberg. Je ziet het alleen minder goed, omdat er veel meer ruimte is. De auto's rijden hier een rondje, onder de snelweg door. En daarna nog een rondje, en nog een rondje. Tot ze beet hebben, zo lijkt het. Ook hier zijn veel kinderen met hun ouders even aan het bijkomen van de reis en ze hebben duidelijk niet in de gaten dat ze zich op een seksparkeerplaats bevinden. Het fenomeen homocruisen is hier goed zichtbaar, maar je moet wel weten waar je op moet letten.

Ik bekijk wat bosjes en zie dat de mannen ook hier open en bloot, op klaarlichte dag, seks met elkaar hebben. De bosjes, met platgetrapte looppaden, zorgen weliswaar voor enige beschutting, maar alleen maar vanuit het zicht van de parkeerplaats. De achterkant van deze openbare seksplekken is niet afgeschermd, waardoor het ook de zeilers op het water van het IJsselmeer niet kan ontgaan wat zich hier afspeelt. Ik praat met wat mannen, ik word uitgenodigd voor een trio waar ik beleefd voor bedank en stap dan weer in de auto. Ik ben benieuwd wat hier vanavond gebeurt, als het donker is.

De auto's rijden hier een rondje, onder de snelweg door. En daarna nog een rondje, en nog een rondje. Tot ze beet hebben, zo lijkt het.

19.30 uur We zitten met ons vieren in een restaurant in Emmeloord. We bestellen alle vier biefstuk en zijn opvallend stil, haast beduusd. Het is vandaag, voor ons allen, een dag om nooit te vergeten. Natuurlijk wisten we dat er seksparkeerplaatsen waren, maar je ziet pas de massaliteit en de obsceniteit ervan als je er, zoals wij vandaag doen, actief naar op zoek gaat. Geen ander zal onze route eerder hebben afgelegd. Het restaurant is bomvol en we proberen zo min mogelijk te praten over wat we gezien hebben. Codetaal uit fatsoen, zullen we maar zeggen. Maar we begrijpen elkaar donders goed. Het lijkt erop dat we echt moeten bijkomen van wat we allemaal gezien en gehoord hebben vandaag. We bestellen vier koffie, terwijl we wachten tot het schemerig wordt. Dan vertrekken we, voor de laatste keer vandaag, naar een seksparkeerplaats.

Er zijn geen afspraken gemaakt, er zijn geen flyers uitgedeeld, er staat niets over deze parkeerplaats in kranten en op tv is er geen programma over gemaakt. Toch zijn dúízenden mannen vanavond op het idee gekomen hiernaartoe te komen.

21.00 uur Ik kom voor de tweede keer vandaag aan op parkeerplaats De Lanen. Honderden auto's rijden heen en weer, het is nog drukker dan vanmiddag. Ik vraag me af waarom al die mannen in hun auto's blijven zitten als ze zo graag seks willen. Het antwoord blijf ik vanavond schuldig, maar later vertelt een seksparkeerplaatsbezoeker me dat cruisen – rijdend of lopend – bij de spanning hoort. Het geeft veel heren een kick.

Ik ga rustig op een bankje zitten en observeer. Sommige auto's komen wel tien keer voorbij. Er wordt geknipperd met lichten. Andere auto's staan stil. Wanneer er op de rem wordt getrapt, is dat een teken dat iemand contact zoekt en dus seks wil. Ik zie veel remlichten vanavond. Er zijn geen afspraken gemaakt, er zijn geen flyers uitgedeeld, er staat niets over deze parkeerplaats in kranten en op tv is er geen programma over gemaakt. Toch zijn dúízenden mannen vanavond op het idee gekomen hiernaartoe te komen.

Nu ik daar zo op dat bankje zit, geef ik blijkbaar aan ook seks te willen. Dat leid ik tenminste af uit de hoeveelheid mannen die op me af komen lopen. Sommigen beginnen een praatje, anderen zijn direct. 'Waar hou je van?' 'Ben je geil?' 'Ga je mee?'

Ik loop er nog wat rond. Als ik op de platgetrapte paden kom, stikt het er van de mannen. Ik ruik ze, ik hoor ze zuchten. Het maakt niet uit hoe je eruitziet, of je besmet bent met een nare ziekte, of je thuis een vrouw en kinderen hebt, of je blind, doof of stom bent. Hier heeft iedereen met iedereen seks.

Ik kijk het een paar minuten aan en moet dan echt maken dat ik wegkom. Ik heb tientallen malen nee moeten verkopen. Niet doen, alstublieft, niet doen. Het wordt maar mondjesmaat geaccepteerd. Kijken maar niet meedoen is blijkbaar niet populair op cruiseplekken.

23.00 uur Zo richting middernacht ga ik terug naar mijn auto. Ik vind het wel mooi geweest voor vandaag. Ik heb een wereld gezien die ik niet kende, een wereld die Nederland niet kende, een wereld waarover ik mij nu nog elke dag verbaas. Ik rij parkeerplaats De Lanen af. Het camerateam filmt dat vertrek, zoals afgesproken, vanuit hun geblindeerde auto.

Een paar minuten later, als ik op een stil landweggetje samen met de editor sta te wachten op de twee collega's, word ik gebeld. Het is de geluidsman. 'Jeetje, Alberto, dit geloof je niet. Een stel ligt hier open en bloot op de graszoden een wip te maken en tientallen kerels staan ernaar te kijken alsof dat de normaalste zaak van de wereld is. Jezus, ssst.'

Ik hoor aan zijn stem dat hij geen grap maakt. Ik roep: 'Ik kom eraan!'

'Is niet nodig, ze zijn al klaar zie ik. Tot zo.'

Vijf minuten later zien we de volgauto het landweggetje opdraaien.

Ze hebben het raampje open en ik hoor hoe uitgelaten ze zijn. 'Jezus, Alberto, kijk dan.' Via de zoeker van de camera kijk ik de scène terug. Het is zoals de geluidsman het beschreef en ik geloof mijn ogen niet. Dat kon er nog wel bij vandaag.

Het maakt niet uit hoe je eruitziet, of je besmet bent met een nare ziekte, of je thuis een vrouw en kinderen hebt, of je blind, doof of stom bent. Hier heeft iedereen met iedereen seks.

00.00 uur We rijden via Emmeloord terug naar Noordkaap in Steenwijk. In de redactieruimte bekijken we alle beelden. Dat is een standaardprocedure, maar die is vandaag wel wat langer dan normaal. Ik hoor nu pas het ongeloof van de collega's uit de volgauto. Dat zou op zich al leuke televisie zijn geweest. We zullen deze dag niet snel vergeten, maar moeten nog een halfjaar wachten voordat we dit met Nederland zullen delen. Het zal tot een hoop verbijsterende reacties leiden. Ik rij linea recta naar huis, sla ditmaal de parkeerplaatsen maar over. Ik ga slapen. Het was een lange dag. Morgen ben ik gelukkig straatracer.

ILLEGALE STRAATRACES

Here comes trouble

Ik bekeek voor de tweede keer in mijn leven de Amerikaanse racefilm *The Fast and the Furious*. Dit keer omdat ik wist dat ik, net als de hoofdpersoon uit de film, undercover wilde gaan in de illegale straatracewereld. De film schetst een wereld vol bravoure, opgevoerde racemonsters en opgeschoten jeugd. Voordat ik aan mijn undercoveractie begon, wist ik niet veel van auto's. Dat moest veranderen, want ik wilde antwoord op een aantal vragen. Hoe werken illegale straatraces? Waar en hoe spreken de deelnemers af? Hoe verloopt het kat-en-muis-spelletje met de politie? Maar vooral: hoe gevaarlijk zijn illegale straatraces?

Het onderwerp ontstond niet vanuit het niets: illegale straatraces waren *hot* in Nederland en daarbij gebeurden geregeld ongelukken, soms met dodelijke afloop. Ik las artikelen in kranten en weekbladen, vaak korte berichten. Of ik zag items op televisie waarin de straatracers de gevaren bagatelliseerden. Mijn idee was te infiltreren, een geloofwaardige straatracer te worden, om een zo eerlijk mogelijk beeld te schetsen. Voordat het zover was, moest ik eerst een racebakkie op de kop tikken en vrienden maken in deze racewereld. Maar zouden de verenigingen zomaar een onbekende toelaten tot hun club?

Ik besloot mijn eerste stappen te zetten bij een legale straatrace. Deze grote publieksevenementen zijn in het leven geroepen om de racers een alternatief te bieden en illegale wedstrijden zoveel mogelijk uit te bannen. Er stond een legale straatrace op het programma in Drachten. Ik had nog geen passend autootje gekocht en dus vertrok ik in een geleende Nissan Sunny, van de vriendin van een cameraman. Ik verwachtte met deze auto weinig pottenkijkers te trekken en dat idee beviel me uitstekend. Ik wilde er ongestoord rondlopen, onopvallend kunnen neuzen.

Het is een heerlijke zomeravond. Dat betekent raampje open en arm buitenboord. Het enige minpunt is mijn snikhete spijkerjack, waarin mijn camera verstopt zit. Deze draag ik voor het geval ik nu al 'aanknopingspunten' tegen het lijf loop. De redactie van *Undercover in Nederland* regelde een cameraploeg die mij op het terrein in gaten houdt. We maken zogenaamd een reportage voor een 'nieuw programma over racerij'. Het lijkt ons verstandig over onze undercoverplannen te zwijgen en geen dealtjes te sluiten met de organisatie. Het is natuurlijk mogelijk dat het via die weg snel zal uitlekken. Dat risico willen we uitsluiten.

Als ik het terrein op rij, vraag ik me af waar ik moet beginnen. Het antwoord – een toevalstreffer – laat niet lang op zich wachten: ik word op mijn schouder getikt. Daar staat-ie, mijn 'vriend', mijn ingang in de straatracewereld. Ik schat hem begin twintig. Hij 'komt van onder de rivieren' en vraagt of ik zin heb tegen hem te racen. Ik moet hardop lachen. Hier had ik niet op gerekend, ik kom alleen maar kijken. Er blijkt nog een bezoeker te zijn die een Nissan Sunny rijdt. We hebben voor vandaag geen scenario bedacht, maar deze scène had ik vooraf niet kunnen schrijven. Ik had nooit kunnen bedenken dat ik met deze auto aan een race zou kunnen meedoen. Aan de andere kant kan 'mijn vriend' aan de buitenkant niet zien dat mijn Sunny daar niet op is berekend, niet is opgevoerd, niet is *getuned*.

'Ik sla even over,' zeg ik.

'Jammer.' Hij is zichtbaar teleurgesteld.

Ik schakel door. 'Ik hou niet zo van legaal racen. En mijn auto staat bij de garage.'

Hij geeft, voor mijn reportage, meteen vol gas. 'Maar wij racen ook wel eens illegaal, hoor. Dat is inderdaad veel leuker.' We wisselen telefoonnummers uit en ik beloof hem te bellen. Tot mijn genoegen is het hele gesprek ook nog eens door mijn oplettende collega's met de grote camera opgenomen. Zogenaamd figureren we als twee bezoekers van een legale straatrace, bedoeld als beeldvulling voor een reportage over snelle auto's. In werkelijkheid staat binnen vijf minuten het eerste undercoververhaal op tape. Een goed begin is het halve werk...

Op het terrein zijn duizenden bezoekers en honderden racers aanwezig. Er is overal aan gedacht. Naast dj's en braadworst zijn er verkeersregelaars, agenten en EHBO-posten, er is een calamiteitenplan, de auto's aan de start zijn APK-gekeurd, racers dragen verplicht een helm en het publiek staat achter hekken. Pas dan springt de rode lamp op groen en schieten de auto's vooruit als uit een katapult. Ronkende motoren, rokende banden, knalpijpen, toeschouwers in extase. Ik hoor *kolere, vet, fuck man, whoooh, krijg nou de tering*. Hoe anders zal het zijn bij illegale straatraces?

Ik struin wat rond en kom een ex-collega tegen. Hij werkt nu voor een landelijk weekblad en 'schrijft hier een stukje over'. Wat wij hier doen? Ik zeg dat we bezig zijn met een serie over straatraces. Ik wil tegen hem helemaal niet liegen, maar de waarheid vertellen zit er nog even niet in. Het is veel te vroeg om in dit stadium te veel mensen te betrekken bij ons idee. We schudden elkaar de hand. Even verderop zie ik op het grasveld naast de baan een ideaal autootje: een spierwitte Renault 5, te koop voor 1100 euro. Hij heeft een topsnelheid van 210 kilometer per uur. Geen haar op mijn hoofd die eraan denkt om daar zo hard mee te rijden, maar een dergelijk opgevoerd model zal goed werken als dekmantel.

Een week later koop ik deze Renault 5 – die dienstdoet als

mijn cover – ergens in een gehucht in Friesland. De goede zin tijdens de legale straatrace heeft zich vertaald in de aanschaf van een over-the-top-attribuut dat ik meteen achter mijn achterruit leg: een kentekenplaat met daarop de tekst: HERE COMES TROUBLE.

Ik word vervolgens op internet lid van Street Legal Outlaw, de club van mijn 'vriend', mijn ingang in deze wereld. Ik doe dat onder het pseudoniem Gert-Jan Schepers. Het is overigens niet de enige club waar ik lid van word. Er zijn meer verenigingen waar ik via het wereldwijde web op bezoek ga, me meng in discussies op forums, waardoor andere leden mij leren kennen als straatracer.

Maanden later zie ik mezelf en mijn Renaultje 5 op meerdere websites terug op foto's die de jongens en meiden zelf hebben gemaakt tijdens de races en meetings.

Welkom, nieuw lid. Je hebt je zojuist ingeschreven bij Street Legal Outlaw. De gegevens zijn opgeslagen in ons ledenbestand. Er zijn nu een aantal dingen die je moet doen om definitief lid te worden.
1. Je moet contributiegeld betalen. De kosten bedragen voor het eerste jaar 25 euro.
2. Je moet deze binnen tien dagen betalen via de bank.
3. Zodra het geld binnen is, ben je officieel lid van SLO.
4. Je krijgt binnen twee weken een Outlawpas.
5. Je krijgt kortingen bij diverse winkels.
6. Je krijgt een sticker van 30 cm gratis bij je inschrijving.
7. Je moet het geld overmaken met je naam erbij.
8. Na betaling krijg je de inschrijving en reglement thuis gestuurd.
9. Deze moet je ondertekenen en retour sturen.
10. Het geld moet op bankrekeningnummer [......] overgemaakt worden t.a.v. Street Legal Outlaw.
11. Je wordt automatisch benaderd door het bestuur van SLO.

Alleen al omdat de bijeenkomsten en de voornemens om illegaal te racen nergens groot staan aangekondigd en geen krant of tijdschrift halen, is het handig om via internet lid te worden. Daar kun je de data wél achterhalen, al zijn de racers ook op internet schuw voor nieuwkomers. Later hoor ik van een van de racers waarom: ze zijn als de dood dat de organisatie wordt geïnfiltreerd door een politieagent, zoals in *The Fast and the Furious*.

Je kunt onmogelijk van een leek ineens een kenner worden. Er zijn helaas geen fullspeedmonteurs-of-coureurscursussen-voor-nono's-in-vijf-dagen. Om vliegensvlug informatie te vergaren, koop ik wat autobladen, maar ik kan me er niet goed toe zetten deze door te bladeren, laat staan dat ik aan het lezen toekom. Handig is wel dat ik de bladen achteloos in de auto kan laten rondslingeren; dan hou ik tenminste nog de schijn op een autoliefhebber te zijn. Mijn collega, die meer van auto's weet, haalt vaak de hete ijzers voor me uit het vuur.

Een typisch voorbeeld daarvan was die keer toen ik op een bijeenkomst in het midden van ons land gevraagd werd mijn motorkap open te doen. De motorkap open, daar had ik niet op gerekend. Voordat ik ook maar de kans kreeg daarover in te zitten, had mijn collega de kap al open. Maar de straatracer, die net zo'n bakkie had als ik, wilde mijn uitleg horen. Ik draaide me om, pakte mijn telefoon en zei: 'Hallo, met Gert-Jan. Alles goed met je?' Die kop-in-het-zandtactiek werkte. Mijn 'racemaatje' sprak verder over koelingen, turbo's, webertjes en cilinders. Later, op andere bijeenkomsten, herhaalden we deze samenwerking.

Op de carmeetings lukt het om niet door de mand te vallen. Ik vermijd onderwerpen als sportuitlaten, luchtfilters, radiatoren, zuigers en krukassen. Ik kan wel meepraten over *spinnen* en *burnen**.

Dat ik geen kenner ben, hoeft de reportage niet in de weg te

---

* Bij *spinnen* draait het om de kunst van het koppelen, bij de start moet je spinnen zoveel mogelijk vermijden. Bij *burnen* – of in het Nederlands: *rubberen* – draaien de auto's spectaculair om hun as.

staan. Die gaat over veiligheid, over hoe racers de wet overtreden, waar de gevaren zitten voor bestuurders, omstanders en tegenliggers. Hoe goed het begin ook was op de legale race, het vervolg op de carmeetings van de verschillende clubs is niet makkelijk. Het zit me niet mee. Het meest gênant is het moment dat ik een illegale race misloop omdat ik de auto's kwijtraak. Dat gebeurt op de bewuste bijeenkomst waar mijn motorkap open moet en ik doe alsof ik een telefoontje kreeg. Er loopt een collega met een verborgen camera rond, maar hij doet zich voor als bezoeker van McDonald's, waar dit soort verenigingen vaak afspreken. Een camerateam in een geblinddoekte volgwagen legt vast hoe ik probeer binnen te dringen in de straatracewereld.

Ten minste honderd auto's hebben zich deze avond verzameld. De bestuurders bewonderen elkaars bolides of kletsen wat met elkaar over de nieuwe ontwikkelingen op autogebied. Het lijkt erop dat ik alle tijd heb om voorzichtig contact te maken met andere racers. Ik loop naar een groepje racers toe en knoop een gesprek aan met een jongen.

Uit het niets wordt er opeens een rij auto's gevormd die aanstalten maakt te vertrekken. Ik overleg haastig telefonisch met de volgers in de camerawagen en vertel hun dat ze op de uitkijk moeten staan. Zij moeten gaan voor het 'totaalplaatje'. Ik zeg dat ik 'me in de rij zal nestelen en meerijden'. Maar als ik ophang, beginnen de eerste auto's al te rijden. Ik schat dat een stuk of twintig auto's meegaan; de rest – de meerderheid – blijft staan. Wat moet ik doen? Wie rijden weg en wie blijven staan? Als ik regisseur was geweest, had ik openlijk kunnen vragen wie wie was, wat ze van plan waren en of ze op mij wilden wachten. Nu kan dat niet. Ik wil niet als de *nitwit* overkomen door te laten merken dat ik volledig verrast ben. Op het moment dat ik er voor mezelf uit ben dat ik op het terrein blijf bij de grote groep, rijdt de eerste stoet weg. De camerawagen blijft op mij wachten.

Een paar minuten later starten meer leden de motoren van hun auto's. Ik doe maar hetzelfde. Ik vraag nog 'waar de reis vandaag naartoe gaat?'

'Dat weet je toch?'

Ik zeg: 'Tuurlijk'. Ik had nee moeten zeggen, of misschien ook wel niet. Maar ik zeg: 'Tuurlijk'.

Nu duidelijk maken dat ik 'geen idee' heb, zal – in combinatie met het weglopen van het lastige gesprek over de motorkap – niet zo'n slim idee zijn. Gewoon de rij volgen, denk ik, geen kritische vragen stellen, dan kom ik er vanzelf.

We draaien de rotonde op en pas dan valt me de kleine rij op, opnieuw bij lange na niet 'de hele meuk'. Ik schat ook ditmaal ongeveer twintig auto's. Ik besluit mee te rijden. Maar alles gaat razendsnel, alsof ook hier een startsein voor is gegeven. Mocht dat echt zijn gebeurd, dan is het mij volledig ontgaan. De technici in de camerawagen worden ook verrast en proberen me snel in te halen.

We rijden in een sliert van auto's de snelweg op, ik heb geen idee waar naartoe. Ik zeg tegen mijn 'maatje' dat het nu zal gebeuren en hij doet snel een nieuwe tape in de camera. Dat is nog niet zo makkelijk, want het licht kan niet aan. Dat valt te veel op. Het lukt hem in het donker. Als we tien kilometer onderweg zijn, geeft de auto die voor mij rijdt richting aan: de snelweg af. Een paar andere auto's doen hetzelfde Maar ik zie dat een deel van de groep rechtdoor wil, ik gok de helft. Ik snap er niks van. Wat is dit? Waarom rijden zij door? Ik ga de snelweg af en volg de overgebleven auto's. De camerawagen volgt, op gevoel, de andere auto's. Een uur daarvoor had ik honderd auto's bij elkaar zien staan waarvan ik dacht dat ze zo meteen illegaal zouden racen, nu rij ik achter tien auto's aan waarvan ik geen idee heb wat ze gaan doen. Binnen een kwartier is dat idee helemaal uiteengespat, want ook dit groepje valt uiteen bij een verkeerslicht: vijf naar rechts, vijf naar links. Het lijkt een scène uit een slapstickfilm, maar zo gebeurt het. Ik besluit nog even tegen beter weten in een paar auto's te volgen, maar zij hebben niet dezelfde eindbestemming. Ik vloek eerst en daarna lach ik hard, keihard, om zo veel onbenulligheid.

Ik weet overigens tot op de dag van vandaag niet wat zich er precies afspeelde. Duidelijk was dat ik niets zinnigs op beeld had. Ik wist zelfs niet wanneer de volgende meeting was van deze club. Ondanks het feit dat er veel misliep, heb ik me niet echt zorgen gemaakt dat de uitzending over illegale straatraces er niet zou komen. Daarvoor waren er te veel berichten over clubs die zich met illegaal racen bezighouden. Bovendien kreeg ik sterk de indruk dat ik wel geloofd werd als racer. Ik moest geduldig zijn en me blijven vastbijten in het onderwerp, nam ik mezelf voor.

Al snel daarna achterhaal ik via internet de datum voor de volgende meeting. Ik rep met geen woord over mijn falen. Ik ga opnieuw. Weer honderd auto's, weer voorpraten, maar gelukkig niet opnieuw een slapstick. Ditmaal rijden we wel in grote groepen naar een industrieterrein. Daar ben ik getuige van de races zoals ik die herken uit de krantenberichtjes: snelle auto's naast elkaar op de weg, een scheidsrechter in het midden, de hand als vlag en gas! Uitlaten knetteren, er zijn vonken. Toeschouwers, fans en 'racers voor even in ruste' staan kort op de weg en hangen gevaarlijk naar voren om maar niets van het spektakel te hoeven missen. Ik heb mijn auto iets verderop geparkeerd. Er worden geen vragen over gesteld, het valt niet op. Het is een groots spektakel met alle auto's die ik even daarvoor bij McDonald's heb zien staan. Veel racers trekken korte sprintjes met het toerental in de *overdrive*. Na een kwartiertje ontstaat wat paniek onder de racers: politie. Het gerucht gaat dat de kentekens worden opgeschreven en iedereen maakt zich zo snel mogelijk uit de voeten. Ik ook.

Ik spreek die avond iemand die zegt dat hij 'gepakt is door de politie'. Hij vertelt dat ik 2200 euro boete kan krijgen of drie maanden moet zitten. Hoewel mijn auto fout geparkeerd stond, is mijn kenteken niet opgeschreven en heb ik thuis nooit een boete of brief ontvangen.

Ik was getuige geweest van een illegale straatrace, dat wel. Maar ik had het moeten doen met beelden van korte sprintjes en een paar verhalen. Eén jongen vertelde bijvoorbeeld dat er soms geldbedragen werden ingezet tijdens de races. Een van zijn vrienden had zelfs ooit geracet om een meisje: wie won, mocht haar hebben. Maar hoe boeiend ook, dit was onvoldoende voor een uitzending en als autoleek drong ik niet echt door tot de harde kernen van deze clubs. Mijn hoop was gevestigd op de carmeeting van die andere club, Street Legal Outlaw.

Street Legal Outlaw kondigde via hun forum aan dat er weer een meeting werd gehouden; dit keer was het verzamelpunt een parkeerplaats in Boxmeer. Ik kon dat zien omdat ik een codenaam met wachtwoord had gekregen. Ik meldde me niet aan, maar besloot er gewoon naartoe te rijden. Met dezelfde collega, die als wandelende autoalmanak mijn inhoudelijk vangnet vormt, mijn veiligheidsgordel.

Ik heb een troef: 'mijn vriend' uit Drachten. Ik heb zijn nummer, maar ik heb hem bewust niet gebeld. Ik dacht: dan wordt mijn komst aangekondigd, dan wordt er van tevoren over mij gesproken en misschien bij aankomst overdreven op mij gelet. Nee, gewoon er naartoe, hartelijk zwaaien, misschien zelfs dik aanpappen met 'mijn vriend', waardoor de rest geen argwaan krijgt. Verder zouden enkele leden mijn Renaultje 5 kunnen herkennen en dat zou mijn geloofwaardigheid als Gert-Jan Schepers nog eens versterken.

Ik ben er veel te vroeg, dat is nooit goed voor de zenuwen. Ik ga ergens in een woonwijk staan. Daar maak ik de apparatuur klaar en leg ik voor de kijker vast uit waar ik ben: 'Ik ben ergens in het zuiden van het land. Ik sta op het punt naar een meeting te gaan van een straatraceclub waar ik lid van ben. Ik hoop dat mijn contact, de jongen die ik heb ontmoet in Drachten, er ook is. Gebruiken ze de meeting om straks illegaal te racen? Ik ben benieuwd.'

Ik kom in mijn Renault 5 aangereden. Ik weet al dat er wat straatracers zijn, dat heb ik gehoord van de collega's in de volgauto die vanuit de hoek van de parkeerplaats alles vastleggen. Terwijl ik de parkeerplaats op rij, kijk ik vliegensvlug of 'mijn vriend' er is. Shit. Nee dus. Zou mijn plan mislukt zijn? Komt hij later of helemaal niet? We stappen uit.

Later in de montageruimte zie ik dat beeld terug. Pas dan vraag ik me af hoe het er voor de racers uit moet hebben gezien: twee kerels die ze niet kennen, in zo'n wit opvallend racemonstertje, de een met een spijkerjack met trui eroverheen, de ander met een bodywarmer. Ik vraag me af of ik mezelf zou geloven. Ik denk van wel, want waarom zou ik het niet geloven?

Negatieve gedachten heb ik uitgebannen als ik naar het groepje straatracers loop. 'Hé, hallo. Alles oké? Is X. er niet?' vraag ik.

'Nee, hoezo?'

Ik vertel hun dat ik X. in Drachten heb gesproken, dat hij verteld heeft over de races, dat ik lid ben geworden via internet en dat ik, nu mijn autootje weer rijklaar is, wel eens wil kijken bij zo'n race.

'Nou, ik bel hem wel even. Wacht maar.' Een van de straatracers begint meteen te bellen. 'Hoi K. Ik heb hier iemand voor je die jou wil spreken.'

De straatracer doet voorkomen alsof het een verrassing is voor 'mijn vriend' en dat bevalt me wel. Zoals het me ook wel bevalt dat ik X. zelf mag uitleggen wie ik ben.

'Hoi, met Gert-Jan. Je kent me nog wel uit Drachten. Van de Nissan Sunny, weet je wel. Ik heb nu dat andere bakkie terug en ik dacht: ik ben toch in de buurt, laat ik eens langsgaan. Maar je bent er niet. Jammer, man.'

Hij excuseert zich voor zijn afwezigheid. Hij moet verhuizen of iemand helpen verhuizen, dat versta ik niet goed. 'Geeft niks, volgende keer beter,' zeg ik.

Ik hang op en geef het mobieltje terug. Ik leg uit dat X. niet komt en dat ik dat jammer vind.

'Helaas, maar je mag wel mee van mij, hoor.'

Ik twijfel. Althans, dat probeer ik uit te stralen. In werkelijkheid gaat het *crescendo*: ik word uitgenodigd voor een illegale straatrace, de andere leden denken dat ik een vriend, of in elk geval een goede kennis ben van een van hun vrienden. Kan niet mooier. Ik dacht even dat mijn plan was mislukt, maar het lukt beter dan ik had kunnen vermoeden. Ik ben binnen in de racewereld.

Ik maak dankbaar gebruik van de situatie en probeer zoveel mogelijk gesprekken te voeren met de overige bezoekers. Ze vertellen me dat ze vaker illegaal racen. Ze bootsen als het ware een legale race na, met eigen racers en een eigen organisatie. Ze zijn zelf scheidsrechter. Ik bedenk dat ze ook vaak zelf de 'dranghekken' zijn, maar dat hardop uitspreken is geen verstandige zet.

Na een kwartiertje auto's kijken en praten – spoilers, binnenverlichting, weggewerkte luidsprekers, topsnelheid – vertrekt de stoet. Een karavaan van *getunede* auto's, op weg naar een plek waar rustig geracet kan worden. Ik rij midden in de stoet. Ik ervaar het als een dodemansrit. Een auto vóór mij haalt vlak voor een bocht in. Het gaat net goed; hij mist de tegenligger werkelijk op een haar na. Mijn collega filmt het bijna-ongeluk. Later hoor ik op de tape terug hoezeer we geschrokken zijn.

We rijden naar een industrieterrein in Venlo. De tientallen auto's parkeren in de berm. Eén auto rijdt een paar honderd meter door. Dat blijkt de 'uitkijkwagen' te zijn. Deze staat op de hoek van de weg en houdt in de gaten of er van de andere kant verkeer aan komt. Zo ja, dan seint hij met de koplampen. Seinen betekent tegenliggers en dus gevaar. Een schijnveiligheid, letterlijk. Als hij met zijn lichten knippert, geldt dat overigens ook als waarschuwing dat er politie aankomt.

Ook ik parkeer mijn auto in de berm, om te kijken, te observeren, te praten met racers. Ik neem niet het initiatief om zelf mee te racen, maar ik vrees dat ik er vandaag niet onderuit kom. Wat zou ik hier anders doen? Ik spreek jongens en meiden die hoog opgeven over de 'goeie, ouwe tijd' van een paar jaar terug. Toen was het echt druk, met honderden auto's en veel meer publiek. 'Echt lachen was dat.'

De openbare weg is vanaf nu het terrein van de illegale racers. In tegenstelling tot de legale race is hier geen politie aanwezig, zijn er geen EHBO-posten, is geen sprake van helmverplichting en is er ook geen calamiteitenplan. Dan ben ik aan de beurt. Of ik mee wil racen.

'Niet per se,' roep ik.

'Nee? Hoezo niet?'

'Oké, kom dan maar op dan.'

Ik doe één *heat* mee. Ik stap in, mijn collega blijft buiten staan. Ik ga naar de startlijn en vraag waar ik moet staan.

'Links.'

Links betekent aan de verkeerde kant van de weg. Daar kom ik tegenliggers tegen. De finishlijn ligt honderden meters verderop, vlak voor een bocht. Ik kan dus onmogelijk zien of er een tegenligger aankomt. Ik moet afgaan op de 'schijnveiligheid', op het inschattingsvermogen van de bestuurder van de uitkijkwagen. Maar we rijden hard, vol gas. Ik ben een wedstrijd aan het rijden. Let ik dan wel goed op? Stel dat mijn tegenstander niet oplet? Stel dat hij doorrijdt en ik wil stoppen. Wat dan?

Ik waag het erop. Ik weet dat ik iets doe wat gevaarlijk is. Het is illegaal om te racen, laat staan op de linker weghelft te rijden, dat weet ik ook. Maar ik sta toch aan de start, omdat nu afhaken zou opvallen.

Here comes trouble.

Ik ga links staan. 'Ik ga eerst even het parcours checken,' roep ik. Ik rij honderd meter. Daar bevindt zich een zijweggetje naar rechts, daar kan ik eraf bij dreigend gevaar. Maar dan moet mijn racemaatje wel aan de kant. Ik waag het erop en ga, achteruit, terug naar de start.

'Gert-Jan, klaar voor de start?'

'Ja.'

'Af.'

Ik geef vol gas. Jeetje, wat een snel bakkie. De auto naast me is iets sneller. Veel scheelt het niet. Binnen de kortste keren ben ik aan het racen. Ik let niet zozeer op de 'seiner' als wel op mijn tegenstander. Ik laat me behoorlijk meeslepen en rij door tot over de finishlijn. Er zijn geen tegenliggers en ik verlies. Of ik revanche wil. Nee, zeg ik, maar dat druist in tegen mijn karakter. Normaal gesproken zou ik ja hebben gezegd, zou ik hebben willen laten zien dat mijn auto zeker sneller is, dat mijn stuurmanskunsten top zijn. Maar ik zeg nee, omdat ik een reportage maak. Ik geef nog een slappe smoes: 'Mijn benzine is bijna op, ik moet tanken,' en ik rij ervandoor.

Ondanks de verloren *heat* heb ik toch gewonnen: ik heb kunnen vastleggen hoe de illegale straatraces werken, dat daarbij de politie, de EHBO en veiligheidsvoorschriften ontbreken, hoe makkelijk ongelukken hadden kunnen gebeuren. Al willen de racers het 'zo veilig mogelijk' doen, zelfs ik – kritische journalist – liet me meeslepen en wilde nog maar één ding: winnen. Juist daarin schuilt volgens mij het gevaar, en dat wilde ik in de uitzending laten zien. Dat is me gelukt. Verder bleek dat legale raceverenigingen, in tegenstelling tot wat zij altijd melden in de media, wel degelijk hun meetings gebruiken om georganiseerd illegaal te racen.

Ik had de feiten op een rij en had daarmee de uitzending rond. Maar ik had toen nog geen idee hoeveel ophef deze aflevering zou veroorzaken. Want nog voordat de uitzending op zender ging, had ik te maken met een woedende straatracewereld. Bewaking, persoonsbeveiliging: het leek een ver-van-mijn-bedshow, maar nu had ik er toch zelf mee te maken. Ik had de illegale straatracewereld tegen me in het harnas gejaagd door te infiltreren in een van hun organisaties. Ik had hen er blijkbaar recht mee in hun hart geraakt.

Beveiliging

Als undercoverjournalist heb ik het gevoel vaak de touwtjes in handen te hebben, zeker tijdens de opnamen. Ik ben altijd op de hoogte van het wie en waarom. Pas als de opnamen achter de rug zijn, de montage is gemaakt en de uitzending eraan komt, verdwijnt die regie. Dan is het onduidelijk hoe de uitzending over zal komen, bij de kijkers en uiteraard bij de mensen die erin voorkomen. Zullen ze de uitzending begrijpen? Weten ze waarom ik dit werk doe? Ik kan daar niet veel aan veranderen.

Sommigen vinden de uitzending 'risico van het spel', zoals ze ook begrijpen dat politie en Justitie moeten optreden bij overtredingen. Anderen kunnen daar geen begrip voor opbrengen. Pedofielen en kinderpooiers bijvoorbeeld zien zichzelf vaak niet als dader. Niet met hen is iets mis, maar met de wetgeving in Nederland. Ik heb meerdere mannen horen zeggen dat 'er toch niets mis is seks te hebben met een minderjarig meisje of jongetje, zolang het kind het maar zelf wil'. Wie de Nederlandse wet niet accepteert, zal de uitzending misschien ook wel niet accepteren. Daar zal ik zolang het programma loopt rekening mee moeten houden.

De straatracers waren woedend over de geplande uitzending over illegale races. Hun frustratie over mijn infiltratie, in mijn ogen gecombineerd met hun opgekropte boosheid over het politieoptreden van de laatste jaren, leek zich samen te ballen tot een actie tegen mij, de undercoverjournalist.

De ellende begon al een paar weken vóór de uitzending. Ondanks het feit dat ik de naam van hun vereniging niet had genoemd, hadden enkele straatracers zichzelf en hun vereniging herkend in promotiebeelden die werden uitgezonden in het SBS 6-programma *Actienieuws*. De leden van deze club, Street Legal Outlaw, vonden dat ze onterecht in verband werden gebracht met illegale races. Ze eisten dat de uitzending niet zou doorgaan.

In die dagen kreeg ik hun advocaat, mr. Vleeming, een aantal malen aan de telefoon. Het waren opzienbarende gesprekken. Hij was niet boos, maar deelde vooral complimenten uit. Het was goed werk dat ik verrichtte, het was gedurfd, het programma had een preventief karakter en Nederland mocht blij zijn met dit nieuwe programma. Maar hij begreep niet dat ik aandacht besteedde aan zo'n onbeduidend en ongevaarlijk onderwerp als straatraces. Hij liet het woord 'illegaal' weg. Hij noemde afspraken die er waren met de 'organisatie', de veiligheidsvoorschriften die de 'organisatie' hanteerde en refereerde aan de lange geschiedenis van het fenomeen. Hij zei zelf ook wel eens op de bijeenkomsten aanwezig te zijn en kende de vereniging van binnen en van buiten. Ik had me sterk vergist, volgens hem. Het waren meetings waarbij de grote gemeenschappelijke deler de enorme voorliefde voor auto's was, meer niet. Er waren wel eens jongens die een sprintje trokken voor de lol, maar het was allesbehalve georganiseerd. Het waren zeker geen illegale straatraces.

Toen brak mijn klomp.

Ik zag het nut niet in van welles-nietesspelletjes en verwees naar de uitzending waarin volgens mij de gevaren van deze georganiseerde illegale races zeer duidelijk zouden worden. Zo ver wilde hij het niet laten komen, meldde deze advocaat met klem. De leden van Street Legal Outlaw wilden koste wat kost de uitzending tegenhouden. Ik zou nog van hem horen.

Binnen een dag na het laatste telefoontje rolde er een persbericht uit de fax. Daaruit bleek dat het bestuur van de vereniging

Street Legal Outlaw had besloten aangifte tegen mij te doen bij het Openbaar Ministerie 'wegens het meedoen aan een illegale race'. Bovendien kondigde Outlaw aan een klacht tegen mij in te dienen bij de Raad voor de Journalistiek omdat ik 'willens en wetens een strafbaar feit had gepleegd'.

Het bestuur van Outlaw is verbolgen over het feit dat een journalist zelf strafbare feiten pleegt met als doel om haar vereniging aan de schandpaal te nagelen, temeer nu de vereniging hier nog part en deel aan heeft. Daarnaast vraagt Outlaw altijd netjes een vergunning aan voor het houden van b.v. een meeting, onlangs heeft het bestuur van de gemeente Boxmeer een vergunning gekregen voor een meeting, het feit dat Outlaw illegale races zou organiseren is dan ook belasterend. (*Bron: Persbericht Outlaw*)

Op dat moment waren slechts tientallen seconden als promo uitgezonden, meer niet. Hun logo heb ik daarin nooit kunnen herkennen. De klacht, knullig verwerkt in een persbericht vol taalfouten, was gebaseerd op een interview dat ik had gegeven in het programma *Actienieuws* op SBS 6. Maar hoe kwamen ze op het idee dat het geen illegale straatrace was? Mijn mond viel open van verbazing.

Straatracers bevochten in het verleden in de rechtszaal meerdere malen met succes de aanklacht dat ze bij illegale races zouden zijn betrokken. Vaak waren hun kentekens genoteerd op 'bijeenkomsten waar volgens getuigen straatraces werden gehouden' of 'waar sprake was van dreigende wanordelijkheden'. In veel gevallen ontbrak het de rechters aan bewijs om de straatracers te berechten. Ze werden vrijgesproken, omdat ze niet op heterdaad waren betrapt.

Maar in dit geval had ik hen wél op heterdaad betrapt; dat zou in de uitzending toch vanzelf duidelijk worden? En waarom zocht deze vereniging de publiciteit op? Als je geschoren wordt, moet je stil blijven zitten. Deze straatracevereniging deed het tegenovergestelde. Ze sloegen op de trom, mobiliseerden andere straatracers en zochten de confrontatie op. Ik begreep er niets van. Ondertussen namen verschillende media het persbericht over en gooide vooral de website www.geenstijl.nl een flinke scheut olie op het vuur.

Illegale straatracers boos op journalist

De vertrutting heeft zwaar toegeslagen bij het vmbo-volk der illegale straatracers. Het post-scholierenvolk dat nsfu speelt, lachgas in een Opel monteert en muziek waardeert naar gelang het aantal lampjes op een autoradio is boos! Ja, zo boos dat ze een officieel persbericht rondgestrooid hebben, inclusief de foutgespelde eigen naam van de vereniging. De NoS-ruikers hebben aangifte gedaan, omdat een journalist van SBS illegaal meedeed aan illegale straatrace: 'Wij zijn van mening dat de journalist, door het meedoen aan een illegale straatrace de normale fatsoensregels en ook de grens heeft overschreden van maatschappelijk aanvaardbaar journalistiek gedrag.' Stelletje wijven! Alsof jullie straatracen in de zandbak hebben geleerd. En dan blijkt de site zelf ook nog vol te staan met verslagen en – snel weggehaalde – feauteaux van illegale straatraces. De toepasselijke naam van deze boomklevers? 'Straatracevereniging Outlaw'... (*Bron: www.geenstijl.nl, 9 maart 2005*)

Het bericht deed de sfeer onder de straatracers geen goed. Er ontstonden verhitte discussies op forums van verschillende sites. Scheldpartijen, dreigementen. Ook tussen de verschillende straatraceverenigingen. Een paar voorbeelden, gelezen op www.geenstijl.nl:

Sjeezus, wat is dit triest... Straatracers, lid van een vereniging die zich 'Outlaw' noemt, klagen een undercoverjournalist aan omdat hij het straatracen aan de orde wilde stellen... Maak me alsjeblieft wakker en zeg me dat dit alles een droom is. Wat een debielen! Duidelijk een kwestie van: kiek mie nou... mienne Golf glinstert harder dan jouwe Golf...

Ik blijf het zeggen: de humor ligt gewoon op straat! Dit is toch puur
KOMEDIE goud!?
Hoe kan je nou toch (on)fatsoenlijk aan een illegale criminele
activiteit meedoen? Pffff, er loopt toch echt dom volk rond, man-o-
man!
Wat een flippo's... Die hebben zeker een cursusje 'Hoe loop ik tegen
de lamp?' of 'Hoe vestig ik de aandacht op me?' gevolgd.

De sfeer werd in de dagen erna met het uur grimmiger. De eisen
van de club veranderden ook. De aangifte bij het Openbaar Ministerie werd zonder opgaaf van redenen afgeblazen, net als de
klacht die ingediend zou worden bij de Raad voor de Journalistiek. Nu wilde Outlaw in gesprek met de programmadirectie
van SBS 6 en vooraf de uitzending zien, dat alles om deze aflevering tegen te houden. Daarbij werd ook mij telkens meege-
deeld dat 'ze anders zelf naar SBS 6 zouden rijden om hun grieven te uiten'. Nadat zowel het productiebedrijf, de zender als ik
meerdere malen duidelijk maakte dat we geen concessies zouden doen aan de uitzending, stelde Street Legal Outlaw mij een
ultimatum.

Het bestuur van Outlaw heeft vandaag aan SBS 6 alsmede aan
Noordkaap TV producties bv een laatste mogelijkheid geboden om
uiterlijk op 20 maart 2005 voor 12.00 uur vooraf de uitzending te
mogen bekijken. Indien SBS 6 c.q. Noordkaap niet aan het
ultimatum van Outlaw tegemoet komt zullen de leden in een stoet
naar Amsterdam rijden, om alsnog haar grieven te uiten, en de
gewraakte opname op te halen.

De media pakten het bericht opnieuw op en het verhaal ging
een eigen leven leiden. Er werd gesproken over verrassingsacties
en autoprotesten. Ik zou volgens Street Legal Outlaw 'met mijn
undercoveractiviteiten een volstrekt verkeerde voorstelling van
zaken geven wat straatraceverenigingen doen'. In een van de be-

richten, op www.radio.nl, las ik zelfs dat de meetings voor illegale races als vergadering worden aangemerkt.

Straatracers willen gesprek met SBS

Een groep straatracers uit het Brabantse Cuijk wil maandag een gesprek met de programmadirectie van televisiebedrijf SBS. Ze zijn boos op de samenstellers van het programma Undercover dat op 3 april wordt uitgezonden, aldus RTV Noord Holland. Daarin maakt SBS gebruik van opnamen die stiekem zijn gemaakt tijdens een vergadering van een groep straatracers die zegt legaal te opereren. De groep zou ten onrechte in verband worden gebracht met illegale straatraces. De club wil dat SBS de beelden niet uitzendt. De racers zijn van plan met ongeveer 160 auto's naar Amsterdam te rijden.

(*Bron: www.radio.nl 21 maart 2005*)

Ik reageerde niet op het ultimatum. Wat kon ik anders? Ik had meerdere keren aangegeven dat de uitzending voor zich sprak, dat er wel degelijk sprake was van een illegale race en dat de aflevering een preventief karakter had. Ik zou mezelf blijven herhalen. De stoet straatracers was niet meer te stoppen.

Op 20 maart kondigde Street Legal Outlaw aan inderdaad met een grote groep van ongeveer 160 auto's naar Amsterdam af te reizen. Het was onduidelijk hoe de stoet zou rijden. Zeker was dat ze naar Amsterdam zouden komen, maar er waren ook serieuze geluiden, opgetekend door lokale en regionale journalisten, dat ze als ze hun gelijk niet konden halen, zouden doorrijden naar Steenwijk om 'met Alberto een indringend gesprek aan te gaan en zich niet als kleine jongens door Alberto te laten wegsturen'.

De straatracers waren in Steenwijk het gesprek van de dag. Lokale en regionale kranten kopten al een week met de mogelijke invasie van de straatracers en in het centrum was het de laatste dagen erg onrustig. Er hielden zich veel *getunede* auto's op rond het gebouw van Noordkaap. Ze verstoorden weliswaar niet de openbare orde, maar vrij van intimidatie voelde het niet. Een van de medewerkers werd 's avonds laat zelfs een keer gevolgd helemaal tot aan zijn huis. Op het moment dat hij uitstapte en naar de voordeur liep, reden de straatracers terug naar het productiehuis. Wat de exacte reden van hun actie was, bleef onduidelijk. Misschien dachten ze dat ik de bestuurder van de auto was, maar ik zat nog in het pand te monteren aan de uitzending. Een paar uur later vertrok ik naar huis. De straatracers volgden mij niet. Mocht dat wel zo zijn geweest, dan zou ik dat gehoord hebben van de bewaker die hen vanuit het pand al wekenlang, iedere avond en nacht, in de gaten hield.

Bij SBS 6 was de laatste weken extra beveiliging in het gebouw aanwezig. Voor de dag van de 'protestmanifestatie' zijn daar nog eens extra bewakers aan toegevoegd. Ook de politie was op de hoogte en volgde de stoet al ver voor ze Amsterdam bereikten. In overleg met SBS 6 hadden we besloten dat ik niet aanwezig zou zijn in hun gebouw. Het zou misschien als de bekende rode lap werken; we wilden niet onnodig provoceren. Ik wachtte in het gebouw van het tv-productiebedrijf in Steenwijk. Mochten de racers per se een confrontatie met mij willen aangaan, dan wilde ik daar niet voor weglopen. Want ik kon me nog steeds niet voorstellen dat de leden van Outlaw zouden blijven ontkennen dat het ging om een illegale straatrace.

Ook in het pand van Noordkaap was op de protestdag extra bewaking aanwezig. De politie stond paraat en burgemeester Apotheker toonde zich betrokken en alert. Want ook zij kenden net als ik het antwoord al van SBS 6. Zouden de straatracers genoegen nemen met de afwijzing? Zou de stoet doorrijden naar Steenwijk? Hoe zouden ze hun eis kracht bijzetten? Hoe kwaad zijn ze? Het was op dat moment nog allemaal onduidelijk. De spanning was ook voelbaar bij de medewerkers van het tv-productiebedrijf. Het stadje Steenwijk maakte zich op voor een verhit dagje.

Uiteindelijk arriveerde een groep raceauto's in Amsterdam.

Het waren bij lange na geen 160 auto's, maximaal twintig misschien. De racers liepen rondjes om het gebouw; beelden die ik die avond voor het eerst zou zien in verschillende nieuwsprogramma's. Uiteindelijk gaf persvoorlichter Eric Dekker hun kort en bondig de duidelijke boodschap van de programmadirectie van SBS 6: de uitzending gaat gewoon door. Daarop verliet de stoet Amsterdam, onduidelijk was waar naartoe.

SBS zendt programma over straatraces gewoon uit

CUIJK – SBS 6 zendt het programma Undercover in Nederland op 3 april gewoon uit. Dat heeft een woordvoerder van de zender maandag gezegd, nadat een groep straatracers vanuit het Brabantse Cuijk naar Amsterdam was gekomen om in gesprek te gaan met SBS. De racers waren boos omdat hun 'Street Legal Outlaw' ten onrechte in verband zou worden gebracht met illegale straatraces, aldus een van hen. (*Bron: www.telegraaf.nl, 21 maart 2005*)

In Steenwijk waren inmiddels honderden nieuwsgierige mensen naar het tv-productiebedrijf gekomen om te wachten op de stoet straatracers. Alsof de koningin zou arriveren of alsof er sprake was van de huldiging van een sporter. Er kwam niemand en na een paar uur onduidelijkheid droop de menigte aan het eind van de middag af. Ik had in de tussentijd in de montageruimte verder gewerkt aan de bewuste uitzending. Tot dan toe was ik niet van plan om de naam van de vereniging in de uitzending te noemen, maar na al het rumoer van de afgelopen weken kon ik daar niet meer onderuit. Per slot van rekening wist heel Nederland inmiddels – dankzij henzelf – dat ik geïnfiltreerd was bij Street Legal Outlaw.

Het weekend daarop, een week voor de uitzending, reden op zaterdagavond alsnog tientallen straatracers naar SBS 6.

22.20 Een groep auto's (naar schatting 40 à 50) verzamelt zich op de Panamalaan naast de gebouwen van SBS broadcasting en SBS productions. Diverse mensen stappen uit de auto's en plakken pamfletten op de ramen met de tekst:

'Ik ben tegen de uitzending van SBS 6, Alberto Stegenmans laat ons met rust.'
Deze is tevens voorzien van een foto van Alberto Stegeman en van twee dood-
koptekens. (*opgetekend uit beveiligingsrapport*)

Ondertussen meldden verschillende medewerkers dat diverse
mensen die uit de auto's waren gestapt voorzien waren van
honkbalknuppels. Een van de beveiligingsmedewerkers signaleerde dat een aantal personen in het bezit waren van grote
Maglites, waarop hij direct contact opnam met onder meer de
alarmcentrale en de politie Amsterdam. De politie was al op de
hoogte van de komst van de straatracers en had intussen al een
ME-peloton buiten het SBS-gebouw verdekt opgesteld.
Er ontstond vervolgens een dreigende situatie bij de gebouwen. De mensen stapten namelijk weer in hun auto's en reden
door naar de Oostelijke Handelskade, naar de achterkant van
de twee gebouwen. De beveiligingsmensen vermoedden dat de
straatracers richting het pand zouden gaan en sloten alle bui-
tendeuren bij SBS 6. Er kon niemand meer naar binnen of naar
buiten.
Uiteindelijk was het deze avond met een sisser afgelopen. Een
beveiligingsmedewerker wist de straatracers ervan te overtuigen dat ze niet bij SBS 6, maar bij het tv-productiebedrijf moesten zijn. De racers meldden daarop 'volgende week wel weer
van zich te laten horen'.
Ik hoorde pas uren later van deze woede-uitbarsting en realiseerde me dat ik geluk had gehad. Ik had er niet toevallig gesignaleerd moeten zijn, want nog meer dan daarvoor richtten
ze hun woede op mij persoonlijk. Het maakte dat ik in de dagen
erna overal waar ik *getunede* auto's tegenkwam, of racers op de
snelweg zag, bewust even de andere kant opkeek en zo een mogelijke confrontatie uit de weg ging.
Er zijn wel eens mensen die tegen mij zeggen 'dat ik nog wel
'es een kogel tegemoet kan zien'. Of ik hoor het van vrienden
die het weer van anderen hebben gehoord. Ik voel die angst

107

niet, maar ik begrijp het wel. Noem het naïviteit, zelfbescherming, realisme... In het geval van de straatracers ging mijn journalistieke reportage over veiligheid. Daar is toch iedereen voor en niemand tegen? Het is toch niet voor niets dat er sprake is van een zerotoleranceaanpak en een lik-op-stukbeleid? Industrieterreinen die gebruikt werden voor races zijn afgesloten, de politie maakte jacht op de racers die op hun beurt weer neerbuigend spraken over flauwe bekeuringen 'over het niet dragen van een gordel of fout geparkeerde auto's'. Zij zien politieoptredens als pesterij; misschien paste mijn reportage in hun ogen ook wel in die categorie. Ik heb niet de intentie bepaalde mensen een loer te draaien. Het gaat om maatschappelijk relevante onderwerpen en de bij wet verboden illegale straatraces vallen daar – zeker door het aantal doden en gewonden – ook onder. En dus ging de uitzending onaangepast de lucht in.

De laatste dagen voor de uitzending en op de uitzenddag zelf bleef het ondanks alle aankondigingen rustig. Er stonden wel iedere avond straatracers voor het pand van tv-productiebedrijf Noordkaap, maar daar bleef het bij. Na de uitzending zijn gelukkig geen racers meer gesignaleerd bij SBS 6 of bij het productiebedrijf en het bleef stil vanuit het OM, de Raad voor de Journalistiek en de straatracers zelf. Het bleek een storm in een glas water.

KWAKZALVERS

Gebedsgenezers

Heb ik te maken met een genezer of een oplichter? Is het menens en is het goedbedoeld of is het kwaadwillend en levensgevaarlijk? Met die vragen had ik te maken toen ik me een jaar lang liet behandelen door diverse dokters, pillendraaiers en gebedsgenezers. Of waren het nepdokters, illegale pillendraaiers en kwakzalvers?

Het is lastig vast te stellen of iemand een kwakzalver, een amateur met goede bedoelingen, een genie of een oplichter is. Dat vereist veldonderzoek. Maar waar begin je? Ik moest ziek, zwak en misselijk zijn, zo veel was duidelijk. De reguliere medische wereld zou ik met een grote boog omzeilen. Ik was zogenaamd doodziek, maar ik zou geen wachtkamer van een huisarts of ziekenhuis vanbinnen zien. Ik zou kruidendokters benaderen en reageren op een zeer gevarieerd aanbod van advertenties van twijfelachtige geneesheren.

Hoe meer ik bekend raakte met de wereld van de alternatieve geneeswijzen, hoe zichtbaarder de antwoorden werden. Zichtbaarder dan ik had verwacht. Want toen het kaf van het koren was gescheiden, smaakten veel bezoekjes zoetgekruid, voelden als hoopgevende voodoo, of hadden de prettige geur van wierook en kaarsvet, maar stonken uiteindelijk opvallend vaak naar ordinaire oplichterij.

Ik hoefde niet veel te doen om deze uitzending op gang te brengen. Slechts een korte wandeling naar de brievenbus was genoeg. In kranten, op internet en bij mij op de deurmat verdrongen deze 'professoren' – zoals ze zichzelf steevast noemden – of gebedsgenezers zich voor een plek op de voorste rij om mijn huisarts, psycholoog of specialist te vervangen. Ik pikte er, min of meer bij toeval, een kleine advertentie uit. Op zijn amateuristisch ogend kaartje beweerde deze man 'overal een oplossing voor te hebben'. Financiële zorgen, uw ex die bij u is vertrokken, stressproblemen; deze man presenteerde zich als redder in de nood. Uit de manier waarop hij reclame maakte, concludeerde ik dat deze gebedsgenezer hoopte dat ik hem wilde opzoeken. Daar zouden goede bedoelingen achter kunnen zitten, maar ik betwijfelde dat. Sterker nog: ik geloofde er geen barst van.

Als journalist behoor je onafhankelijk en onbevooroordeeld te zijn. Dat ben ik ook bijna altijd en zo niet, dan laat ik me graag van het tegendeel overtuigen. Maar met deze verkooppraatjes vond ik nergens ook maar enig houvast voor wat geloof. Daarbij hielpen de talloze aangrijpende verhalen van slachtoffers die deze gebedsgenezers tot nu toe maakten ook niet. Ik kreeg een multomap mee vol met cases, trucs en slachtoffers, verzameld door de redactie van ons programma.

De gebedsgenezer beloofde dat zijn aandacht geen geld kostte. Daar begon mijn twijfel al. Gratis hulp? Dan worden bij mij de eerste dikgedrukte vraagtekens al gezet. Daarnaast drong deze man bij het eerste contact wel heel erg aan. Ik had hem gebeld over mijn gefingeerde stressproblemen. Hij 'begreep het volkomen' en vroeg 'of ik maar zo snel mogelijk langs wilde komen'. Hij zou overal voor zorgen, zei hij in gebrekkig Engels. Het vreemde met dergelijke gebedgenezers is dat, als je er vooraf over nadenkt, je je niet kunt voorstellen dat mensen hier gebruik van maken. Daarvoor komen ze gewoon niet aardig genoeg over en klinkt er te veel glibberige leugenachtigheid door in hun stem. Toch hebben ze het stervensdruk. Er zijn blijkbaar te veel goedgelovige en wanhopige mensen in ons land.

'Neem een kaars mee!' was alles wat hij me door de telefoon

gezegd had toen ik de afspraak maakte. Het klonk als een bevel. Ik loop met een kaars – een uurtje eerder gekocht bij een benzinepomp – naar het opgegeven adres. Ik heb een collega meegenomen, zodat we binnen alles vanuit twee standpunten met onze camera's kunnen vastleggen. De geblinddoekte camerawagen staat aan de overkant van de weg.

Diezelfde ochtend had ik nog rustig op een paranormale beurs in Amsterdam gewandeld. Niet undercover, maar als aandachtig researcher. Ik wilde meer weten over deze wereld voordat ik 's middags de kwakzalver zou bezoeken. Er waren aanbiedingen van geneesheren, ik liet er een aurafoto maken en sprak paranormale genezers aan. Ik beleefde het als bovennatuurlijk gezweef, maar ik had wel sterk de indruk dat veel van deze mensen oprecht zijn en in hun vakkundigheid geloven. De prijzen die de gebedsgenezers op deze beurs hanteerden, vond ik te billijken. Ik moet voor de uitzending op zoek naar kwaadwillenden, maar die vond ik duidelijk niet op deze beurs. Daarvoor moest ik nog een paar uur geduld hebben.

Ik bel aan. De deur blijft gesloten. Na een kleine minuut, net op het moment dat je denkt dat het adres of het verhaal wel niet zal kloppen, gaat op drie hoog een raam open. Opnieuw in gebrekkig Engels wordt er naar beneden geschreeuwd of ik een afspraak heb.

Niet veel later gaat de deur open. Met z'n tweetjes lopen we via het trappenhuis naar de tweede etage. Wat ik niet had verwacht is dat de kamer helemaal vol zit: allemaal Afrikanen. In de kamer valt mijn oog meteen op een joekel van een plasmascherm. Er wordt veel geld verdiend aan deze vorm van kwakzalverij, denk ik misschien wel onterecht.

Een jongen vertelt me dat ik nog even moet blijven wachten. De 'professor' is nog niet klaar met de vorige klant.

'Prima.'

Ondertussen probeer ik een gesprek aan te knopen met de Afrikanen. Of het bewoners of bezoekers zijn, daar ben ik nog niet uit. Ik bedenk dat het misschien wel allemáál kwakzalvers zijn, die dit als hun kantoor beschouwen. Ik geef toe dat ik vooraf al weinig vertrouwen had in deze man. Mijn nuchterheid waarschuwt me van nature voor dit soort ongure types met gladde praatjes. Maar het spel moet gespeeld worden.

Er wordt niet gesproken en al helemaal niet gereageerd op mijn vragen. En dat terwijl de vragen vrij onschuldig van aard zijn en ik ook nog eens een probleem heb, mopper ik – niet eens gespeeld kwaad – vanbinnen. Dan komt er een jongen naar beneden. Hij vertelt me dat ik aan de beurt ben. We staan op en de jongen gebaart dat alleen ik welkom ben bij de professor. Mijn collega mag niet mee.

Dat is een tegenvaller. Ik ben nu afhankelijk van mijn eigen camera die verstopt zit in mijn bodywarmer. Protesteren heeft geen zin en zou in dit geval alleen maar argwaan wekken. Ik ga alleen naar boven. Vanuit het trapgat komt een wierookgeur me tegemoet. Ik beland op een etage die onbewoond lijkt.

'*Here, come inside.*' Een donkere stem beveelt me binnen te komen. Ik loop richting het kamertje van waaruit ik hoorde roepen. Het is vrij donker, maar ik zie in elk geval wat kaarslicht. De man met wie ik een afspraak heb, zit links tegen de muur. '*Sit down.*' Hij draagt een ruimvallend gewaad. De schoenen passen er niet echt bij; die lijkt hij die ochtend nog gekocht te hebben bij de schoenenwinkel om de hoek. Ik doe wat hij vraagt en ga zitten.

Hij vraagt me wat eraan scheelt en kijkt me indringend, haast kwaad aan.

Aan de telefoon vertelde hij dat hij helderziend is. Stel je eens voor dat dat klopt. Dan zou hij nu mijn camera zien en ben ik er gloeiend bij...

Ik steek mijn verzonnen verhaal af. Dat leer ik nooit uit mijn

In deze tas had ik mijn verborgen camera verstopt. Achter het minuscule gaatje zit de lens.

BINNEN ZONDER KLOPPEN

De Incassoman en 'Joost' staan voor de deur van het vakantiehuisje.

Alberto, gefilmd met de verborgen camera van 'Joost'.

Bij de Viagraman in
de auto.

OME JAN & CO

Per 24 stuks, dat zijn zes pakjes.
Dan zit je op 100 euro.

Hij had uitzaaiïngen in de hersenen.
Binnen veertien dagen was het gebeurd.

Ontmoeting met de neef van de Viagraman.

Alberto op een
seksparkeerplaats.

Alberto stapt uit op een
seksparkeerplaats. Dit is
gefilmd vanuit de geblinddoekte camera-auto!

Een bezoeker van een
seksparkeerplaats spreekt
Alberto aan.

Ik ben best geil.
- Ja, ik zie het.

Enkele mannen zijn met elkaar bezig in het bos bij een seksparkeerplaats. Alberto kijkt vol verbazing toe.

ILLEGALE STRAATRACES

ik ben ~~tegen~~ de
uitzending van
sbs 6
alberto stegenmans
laat ons met rust

Pamflet met protest
tegen de uitzending
over de illegale
straatraces.

Alberto en zijn 'straatrace-vriendje' van internet.

KWAKZALVERS

Er zijn voor
ervan gene

Alberto in gesprek met
een kwakzalver.

KAAIMANNEN

Slangen op zolder bij de jongen die kaaimannen op internet te koop aanbiedt.

Alberto belt aan bij een kwakzalver.

Flesje 'geneeskrachtig' Noni-sap.

Alberto met een verboden mes.

dat hiv-patiënten

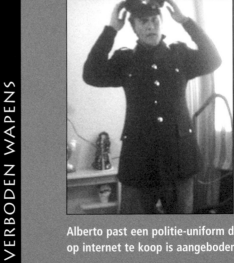

VERBODEN WAPENS

Alberto past een politie-uniform dat op internet te koop is aangeboden.

KINDERPROSTITUTIE IN NEDERLAND

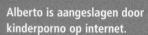

Alberto is aangeslagen door kinderporno op internet.

Bij de Laptopman in de auto. Hij laat kinderpornofoto's zien aan Alberto.

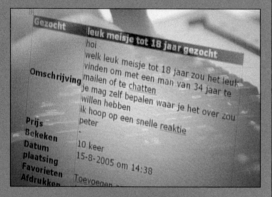

Gezocht — leuk meisje tot 18 jaar gezocht

hoi

Omschrijving — welk leuk meisje tot 18 jaar zou het leuk vinden om met een man van 34 jaar te mailen of te chatten

je mag zelf bepalen waar je het over zou willen hebben

ik hoop op een snelle reaktie

Prijs — peter

Bekeken — 10 keer

Datum plaatsing — 15-8-2005 om 14:38

Favorieten — Toevoegen

Afdrukken

De advertentie van de pedofiel waar Alberto als 'Marieke' op reageerde.

De kinderpooier uit Arnhem, met Alberto op een terrasje in onderhandeling.

Ik ben nu met iemand bezig die is negen.
- Negen jaar?!

Alberto in Bangkok, samen met de directeur van een erkend reisbureau.

Alberto in de loods met kinderporno-dvd's.

GESNAPT

Hoi Alberto.
Alles goed?

Een kennis begroet
Alberto, die
undercover is!

Hij neemt alles op hoor!

Betrapt terwijl Alberto
met een drugsdealer
praat op de Wallen.

Hij staat je gewoon op te nemen,
kijk maar.

hoofd, dat is alleen maar lastig. Dan moet je onthouden wat je verzonnen hebt, dat is dubbel werk. Ik hou het kort en vraag wat hij voor me kan betekenen.

Veel, wordt al snel duidelijk, zo niet álles. Als ik maar precies doe wat hij zegt, dan komt alles goed. Dat alles goed komt, herhaalt hij de hele sessie door. Al spreekt hij zelf niet over een sessie, maar over een consult. Daar vraagt hij – tegen de afspraak in – achteraf 15 euro voor, maar zover zijn we nog niet.

Hij bestudeert nauwkeurig mijn hand en vraagt of ik deze op het kleed wil leggen. Hij pakt een pen en begint mijn vingers na te tekenen. Daarna pakt hij een kralenketting en vraagt me een kraal vast te houden. Opnieuw kijkt hij me doordringend aan. Doet hij dat niet, dan is zijn oog gericht op mijn bodywarmer. Dat bevalt me niet. Hij kijkt namelijk precies naar de plek waar de cameralens zit verstopt. In de kamer is het vrij donker en misschien valt er wel een schittering op de lens. Ik probeer af en toe te verzitten, in de hoop dat de eventuele fonkeling verdwijnt.

Dan stokt mijn adem in mijn keel.

'*Out!*'

'*Out? What?*' vraag ik.

'*Your jacket. Out!*'

Hoe gebrekkig zijn Engels ook is, ik begrijp precies wat hij bedoelt. Maar zonder bodywarmer geen beeld en zonder beeld geen verhaal.

'*Why?*' pareer ik nog.

Maar zijn wil is wet, dat is me allang duidelijk. Hier is geen plaats voor de vriendelijkheid of innemendheid van een arts. Het gaat hem erom mij zoveel mogelijk angst in te boezemen, zodat ik nergens nee tegen durf te zeggen. Ook niet tegen de grote bedragen die hij straks zal vragen.

Die dreigende taal klinkt bekend. Andere kwakzalvers die ik eerder heb bezocht, probeerden ook te imponeren. Zoals de man die me bij een snackbar op liet halen door een vriend van hem. Dat voelt altijd wat onprettig. Wie komt er? Heeft hij me al lang in de gaten gehouden? Gelooft hij me? Bij hem thuis – ook een Afrikaan – was alles gericht op geld verdienen. Erwten onder mijn kussen zouden mijn vriendin bij mij terugbrengen. Hij zei het met een vanzelfsprekendheid die je van artsen nooit zult horen. 300 euro kostten de erwten. Nee accepteerde hij niet; dat kon hij zich als gebedsgenezer niet veroorloven. Hij moest en zou me redden. Ik kan me voorstellen dat, als je daar in je uppie bent, je alleen al betaalt om van hem en zijn enge dreigementen af te zijn. En laten we eerlijk zijn: erg sterk in je schoenen sta je niet als je je met dit soort mensen inlaat. Waarschijnlijk ben je wanhopig en is dit je laatste strohalm. In elk geval zijn hun klanten gewillige slachtoffers.

Een andere kwakzalver maakte het nog bonter. Ik deed me voor als iemand met grote schulden. De oplossing van deze kwakzalver: ik moest hem honderden euro's geven en dan zou het 'allemaal goed komen'. Hoe doorzichtig...

Op de zolderkamer vind ik de situatie erg onprettig als ik mijn bodywarmer uit moet doen. Ik doe wat de man zegt, waarna hij doorgaat met zijn consult. Hij vindt dat ik een kruidendrankje moet kopen voor 200 euro. Als ik niet meteen toehap en ook nog eens zeg dat ik weinig geld heb, wordt hij wat agressiever. 'Je moet betalen. Je moet de duivel uit je lichaam verjagen, dat is je dat toch wel waard? *You must!*'

Ik loop na afloop het huis uit. Als ik de straat uit loop, rijdt er een politieauto voorbij. Dat gebeurt me wel vaker. Op seksparkeerplaatsen, als toerist wanneer ik door een illegale propper word aangesproken of als ik met een prostituee in de auto zit. Er gebeurt veel voor het oog van politiemensen zonder dat ze er erg in hebben. Een bizarre ervaring.

De volgende dag bel ik deze gebedsgenezer. Ik zeg geen gebruik te willen maken van zijn diensten. Opnieuw begint de man te dreigen dat ik echt bij hem langs moet komen. 'Zo niet, dan komt u in ernstige problemen.' Ik hou voet bij stuk en moet mijn boosheid onderdrukken.

Na de uitzending belt een kijker me met een schrijnend verhaal. Hij zegt de locatie en de man herkend te hebben en weet zeker dat dit de man is die hem jarenlang heeft opgelicht. Zijn hele ziel en zaligheid heeft deze 'klant' bij de kwakzalver neergelegd. Steeds maar weer werd hij aan het lijntje gehouden met nieuwe zogenaamde oplossingen, variërend van onbeduidende zalfjes tot en met vage smeerolie. Als tegenprestatie moest de man geld overmaken, veel geld. In totaal is hij voor bijna 25.000 euro opgelicht. Ik zeg de man dat hij – natuurlijk – aangifte kan doen bij de politie. Zo geschiedt. Maanden later wordt deze kwakzalver aangehouden. Hij blijkt voor tonnen aan euro's te hebben verdiend aan gewillige slachtoffers.

'Je moet betalen. Je moet de duivel uit je lichaam verjagen, dat is je dat toch wel waard? *You must!'*

Vruchtensap

Ik heb meerdere kruidenwinkeltjes bezocht, die geen van alle de uitzending haalden. Mijn vader had zogenaamd kanker en ik zou een verlamde moeder hebben. Mijn god, wat vond ik dat moeilijk om te spelen. Doen alsof ik een kinderpooier ben is makkelijker. Die pooier bestaat niet echt, die is verzonnen. Maar ik heb wel een vader en moeder en die zijn gelukkig helemaal gezond. De gêne werd me echt af en toe te veel. Dan mompelde ik op het laatste moment toch iets anders, iets wat van toepassing was op mezelf. Uiteindelijk had ik teelbalkanker, voelde ik me slap of had ik last van stressaanvallen.

Ik vond het lastig kruidenwinkeltjes in het hokje 'kwakzalvers' te stoppen. De meeste verkopers hadden goede bedoelingen en waren welwillend. Het waren geen oplichters. Allemaal vertelden ze erbij dat ik – of mijn vader of mijn moeder, wanneer ik mijn gêne overwon – gewoon de huisarts of de specialist moest blijven bezoeken. Ze boden me kruiden aan en vertelden erbij dat het goed zou helpen tegen de ziektes, maar kant en klare oplossingen voor bijvoorbeeld kanker, hiv of verlammingen heb ik er niet gekregen.

Dergelijke oplossingen kreeg ik wel van verkopers van een bepaald soort vruchtensap. Het betreft Tahitian Noni, het sap van de noni-vrucht uit Tahiti. Dit schijnt goed te zijn voor lijf en leden. Dat zou kunnen en het zal ook best lekker zijn, zoals verkopers beweren, maar als hun verhaal daarbij was gebleven had het nooit de uitzendingen van *Undercover in Nederland* gehaald. Nee, in plaats daarvan schermen verkopers met de grote medicinale krachten van deze drank. En dat terwijl onderzoek van de wetenschappelijke raad voor voeding van de Europese Commissie geen enkel bewijs heeft gevonden dat Tahitian Noni een positieve bijdrage levert aan de gezondheid, niet meer dan andere vruchtensappen in elk geval. Daarom werd in 2003 bepaald dat Tahitian Noni onder geen beding als geneeskrachtig product verkocht mag worden. Maar daar trekken sommige verkopers zich niets van aan.

Op een bijeenkomst om verkopers te werven – ik zit er ook tussen als zogenaamd toekomstig verkoper – geven aanbieders van dit sap legio voorbeelden van wonderbaarlijke genezingen. Ik hoor een aangrijpend verhaal over een Belgisch jongetje met een tumor in zijn hersenen. 'Tahitian Noni heeft een tumor zo groot als een kippenei in omvang gereduceerd tot de grootte van een knikker.' Ook gaat men er prat op dat 'tumoren verdwijnen door vier weken lang dagelijks een half borrelglaasje Tahitian Noni te drinken'. Tevens beweert een verkoper glashard dat 'er iemand van hiv genezen is door het drinken van Tahitian Noni'.

Het is nog een heel gepruts om de voorbeelden tijdens deze bijeenkomst vast te leggen met mijn verborgen camera. Het is een klein zaaltje; alles bij elkaar een man en vrouw of twintig. Er zijn verkopers en potentiële verkopers. Iedereen houdt iedereen in de gaten en de meeting duurt uren, langer in elk geval dan mijn tape was. Daarom moet ik die verwisselen en dat maakt altijd geluid. Ik kies voor het toilet én een opkomende hoestbui. Hard kuchen en dan, klik, andere tape erin. Gaffertape eromheen, in de tas en terug naar het zaaltje. Even rondkijken of inderdaad niemand wat in de gaten heeft en klaar. Mijn collega, die ook doet alsof hij straks dit drankje aan de man wilde brengen, maakt een hoofdbeweging naar mijn tas. Deze is nog aan een kant open en er hangt een blauw snoertje van de camera los. Ik stopte het terug, ritste de tas dicht en deed of er niks aan de hand was.

Ook mijn contactpersoon is er. Een week eerder troffen wij elkaar in een wegrestaurant langs de A28. We hadden allebei wat in de aanbieding. Ik het – zogenaamde – potentieprobleem, hij de oplossing: Tahitian Noni. Hij vertelde over de superieure werking ervan. 'En het helpt niet alleen tegen potentieproblemen.' Volgens hem bevat het sap de tumorremmende stof damnacanthal, 'dat zich al jaren heeft bewezen'. Hij mocht het niet hardop uitspreken, zei hij erbij, om er vervolgens over door te blijven ratelen. Als een domineepreek: gij zult zus en gij zult zo. Ik kreeg een tientje korting op de eerste fles Tahitian Noni, 'waarmee mijn potentieproblemen als sneeuw voor de zon zouden verdwijnen'. Pas op de bijeenkomst voor verkopers werd me duidelijk waarom hij zo graag wilde dat ik daar naartoe kwam: hij wilde geld aan mij verdienen. Ook ik moest verkoper worden.

Tahitian Noni werkt als een soort piramidesysteem. Hoe hoger de trede is waar je zit, hoe meer geld je verdient. Mijn contactpersoon had er dus alle belang bij dat ook ik het sap zou gaan verkopen. Hoe meer je verkoopt, hoe meer je verdient.

Dan is het logisch dat je vertelt dat het overal goed voor is. Op de bijeenkomst wordt de indruk gewekt dat nieuwkomers binnen *no time* veel geld kunnen verdienen. Tahitian Noni heeft naar eigen zeggen '380 miljonairs opgeleverd'. 'En is er een verkoper die door de verkoop van vier flessen Tahitian Noni 22.000 euro per maand verdient.' Ik krijg het allemaal voorgeschoteld op grote flip-overvellen. Daarna praten we aan de keukentafel verder, met bier en nootjes erbij. Verkopers schermen opnieuw met oncontroleerbare verhalen over twijfelachtige genezingen. Het lijkt wel of we bijeen zijn om een wondermiddel te gedenken. Ziekelijk.

Noni is een bekend merk in Nederland en dat heb ik geweten. Na de uitzending regende het klachten van gebruikers en verkopers. 'Er is helemaal niets mis met het sap' en 'het werkt bij mij fantastisch'. We meldden de klagers netjes dat wij in het programma duidelijk wilden maken dat verkopers van Noni hun boekje te buiten gingen door te schermen met geneeskrachtige werkingen. Een vrouw vertelde een redacteur van ons programma dat ze telefonisch werd bedreigd 'omdat Tahitian Noni door *Undercover in Nederland* in een kwaad daglicht was gesteld'. Zij verkocht noni-sap uit Indonesië, maar mensen scheerden nu haar product over één kam met Tahitian Noni, zei ze. 'Kunnen jullie niet één minuut in de uitzending besteden om uit te leggen dat er verschillende soorten noni-sap zijn?' De redacteur meldde mevrouw 'dat wij nadrukkelijk hebben gemeld dat het in onze uitzending Tahitian Noni betrof'. Hij voegde eraan toe dat hij kon toezeggen de eindverantwoordelijke van het programma van dit verzoek op de hoogte te brengen. Dat deed de redacteur netjes en ik legde het verzoek vervolgens evenzo netjes naast me neer.

De organisatie van Tahitian Noni had op basis van promo's op televisie al vóór de uitzending contact met me opgenomen.

Zelfs een van de hoogste bazen binnen dit concern, ergens uit Engeland meen ik, kreeg ik kort aan de telefoon. Wat ik wel niet in mijn hoofd haalde zijn product zo negatief in de publiciteit te brengen? Ik reageerde kortaf met de mededeling dat niet ík dat deed, maar dat zijn verkopers daar zelf verantwoordelijk voor waren. Verder verwees ik hem naar de uitzending. Hij zou kijken of laten kijken, beloofde hij. Na de uitzending heb ik van hem en zijn organisatie niets meer gehoord.

'Tahitian Noni heeft een tumor zo groot als een kippenei in omvang gereduceerd tot de grootte van een knikker.'

Gek of geniaal

Niet alle gevaarlijke plannen komen uit oneerlijke breinen voort. Er zijn gekken met geniale gedachten en geniale mensen met gekke gedachten. Het zijn mensen die afwijken van wat normaal wordt gevonden. Ik heb er daar al een heleboel van ontmoet. Mensen die niet alleen waanideeën hebben, maar ze ook in praktijk willen brengen. Tijdens zo'n gesprek schoot wel eens door mijn hoofd dat ik misschien in de maling werd genomen, dat het fantasiewerelden zijn. Ik kon me dan werkelijk niet voorstellen dat de plannen die ik hoorde echt zijn. Maar in twee jaar tijd is me dat nog nooit overkomen: het bleek altijd te gaan om echte verhalen, echte gebeurtenissen en echte mensen. Begrippen als 'gek' of 'geniaal' zijn subjectief. Ieder mens hanteert daarbij andere stelregels. Voordat ik zo ga vertellen over een kwakzalver eerst twee andere sprekende voorbeelden van mensen met plannen waarvan mijn mond openviel van verbazing.

Zo was er man die een Rooms Rijk wilde stichten in Nederland door met zoveel mogelijk katholieken 'ondergrondse afspraken' te maken. Zo zouden ze de protestanten kunnen uitroeien. Ik zeg 'ze', maar op het moment dat ik hem aanhoorde, praatte ik over 'we'. Ik deed me voor als katholiek en ik luisterde naar zijn verhaal, in zijn auto bij een tankstation langs de A2. Hij had zijn pijlen gericht op grote concerns, zoals Shell, en wilde een vaste ontmoetingsplek voor het 'katholiek verbond' arrangeren. Hij zocht daarvoor medestanders en investeerders om de plannen te kunnen verwezenlijken.

Uiteindelijk heb ik de man slechts eenmaal ontmoet, om dus zijn bizarre plan aan te horen. Later heb ik geprobeerd te achterhalen of het hem was gelukt anderen te overtuigen van zijn idealen, maar de man nam zijn telefoon niet meer op. Ik heb daarna nooit meer iets van hem vernomen. In mijn ogen was hij een samenzweerder, een oplichter. Maar ik kan het ook fout zien, ik baseer het in dit geval op één ontmoeting. Ik zag hem niet als gek, daarvoor was hij te uitgekookt, te *streetwise*. Ik kreeg sterk de indruk dat hij mij geld wilde aftroggelen en dat zijn wens voor een Rooms Rijk vooral een dekmantel was voor zijn criminele plan.

Een andere man die ik ontmoet heb, had vreemde seksuele fantasieën. Hij wilde betalen voor moedermelk; hij had er maar liefst 200 euro per minuut sabbelen voor over. Voor afgekolfde melk was het aanbod een stuk lager. Ik sprak hem samen met een vrouwelijke collega die zich voordeed als mijn echtgenote. De locatie: een restaurant boven het Centraal Station van Utrecht. Hoe onvoorstelbaar het vooraf door de telefoon ook klonk, terwijl we daar met z'n drietjes zo zaten, herhaalde hij zijn voorstel. Hij wilde twee borsten in de hoofdrol van zijn natte droom. De volgende dag bel ik netjes af.

Het bleek niet zijn enige bizarre wens. Weken na onze ontmoeting las een redacteur een advertentie waarin een man aanbood naakt op visite te komen. In de advertentie stond hetzelfde telefoonnummer als in die van de moedermelkman, maar een andere naam. Toen ik hem belde, bleek het inderdaad om dezelfde man te gaan. Opnieuw zou hij ons willen betalen.

Een paar dagen later zat hij poedelnaakt tegenover mij en dezelfde vrouwelijke collega in een hotel, langs de A1 bij Holten. Hij had zich in onze aanwezigheid uitgekleed. Ik had een spellendoos meegenomen, op verzoek van de man. Hij wilde letterlijk 'naakt spelletjes spelen'. Ganzenborden, mens-erger-je-niet, schaken: alles was mogelijk. Het was niet eens gekscherend bedoeld; de man had me telefonisch gemeld dat dit inderdaad de spelletjes waren die hij bedoelde. 'Seksspelletjes hebben er niets mee te maken.' Het ging om naakt-zijn, meer niet. Maar toen de ontmoeting eenmaal daar was, hoefde de spellendoos niet opengemaakt te worden. De man had wel degelijk sekswensen en maakte meerdere toespelingen in die richting. Hij deed het vaker met anderen. 'Sommige mensen hebben geld nodig en dat kunnen zij bij mij makkelijk verdienen.' Bijna zou ik in zijn wens geen kwaad zien. Totdat hij vertelde dat er een keer een jong meisje had gereageerd op zijn advertentie. 'De leeftijd is dan moeilijk te schatten, weet je. Ik denk dat ze nog geen zestien was.' Op mijn vraag of ze ook seks met elkaar hadden gehad, antwoordt hij, na een hapering: 'Nee'. Het kwam op mij weinig overtuigend over.

Zoals beloofd nu een verhaal over een 'gekke' – of 'geniale' – kwakzalver. Het gaat over een man die me lang aan het denken heeft gezet. Wat wil je ook: hij beweert namelijk de oplossing te hebben voor de ongeneeslijke ziekte hiv.

Wanneer ik hem bel, steekt hij een monoloog af. Het gaat over chromosomen, stroomschokken en opdonders. Ik begrijp er weinig van, maar hij beweert al jaren met zijn vondst bezig te zijn en twijfelt niet aan de werking ervan. 'De medische wereld zal ervan opkijken.' De man heeft een uitgebreide woordenschat. Vooraf dacht ik te maken te krijgen met een of andere mafketel, een gek die door te veel drugs, drank of psychische problemen niet meer helder kan denken. Of misschien zou een jong jongetje de telefoon opnemen, die mij of iemand anders met een misselijkmakende grap voor de gek wil houden. Niets van dat alles.

De man is bloedserieus en denkt hiv-patiënten te kunnen genezen door het toedienen van stroomstootjes. Hij heeft zelfs een apparaat ontwikkeld om zijn theorie eigenhandig in praktijk te brengen: een technisch systeem dat dit wereldwijde probleem kan uitroeien. Hij heeft alleen een persoon nodig waarop hij dit kan uitproberen. En die proefpersoon ben ik.

Ik probeer me zo goed en kwaad als dat kan voor te doen als een hiv-patiënt, al heb ik als ik hem bel geen goed idee van waar ik over praat. Na het maken van een afspraak bereid ik me voor door websites over dit onderwerp te bekijken. Ik schrik van de verhalen die ik lees. Het geeft me een naar gevoel dat ik één van hen speel. Ik ben namelijk niet ziek, ik heb gelukkig geen hiv. Daar mag ik heel blij mee zijn en misschien daarom wel voelt het spelen van een hiv-patiënt als spotten. Vroeger als kind mocht ik ook geen mongooltjes nadoen, dat was niet netjes, dat deed je niet. En als ik het dan toch – stiekem – deed, dan voelde dat heel belabberd. Diezelfde gêne voel ik nu ook. Toch is dit de enige manier om erachter te komen of ik te maken heb met een gek of met een genie. En dat is weer belangrijk om te bepalen of hij in de categorie kwakzalverij past en om uit te vinden of – en hoeveel – 'slachtoffers' hij maakt of geneest.

Ik zal doen alsof ik er zeer slecht aan toe ben en het vertrouwen in de medische wereld al een tijdje kwijt ben. Ik zal hem kort ontmoeten en hij zal mij op basis daarvan moeten geloven. Ik heb geen enkel medisch dossier of andere papieren bij me waaruit blijkt dat ik inderdaad ernstig ziek ben.

Het is ijzig koud vandaag. De wind snijdt. Het valt dus niet op dat ik me warm kleed. Zodoende kan ik mijn verborgen camera verstoppen in mijn spijkerjack, met daaroverheen nog een warme trui. De lens van de camera filmt door een minuscuul gaatje in de trui. Als hij ernaar vraagt, zal ik hem zeggen dat de warme kleding nodig is in verband met mijn gebrek aan weerstand. Dat zou mijn verhaal meteen iets geloofwaardiger maken.

Het rijtjeshuis waar ik me moet melden, ziet er zowel aan de buiten- als de binnenkant doorsnee uit. De man die ik aan de telefoon heb gehad, stelt ook nu weinig vragen en is opnieuw een spraakwaterval. Hij zegt in het dagelijks leven als technisch ingenieur te werken op universiteiten. Iets wat ik tot op heden niet heb kunnen verifiëren. Hij heeft een vrouw en een kind en komt, in eerste instantie, allesbehalve als een *weirdo* over. Wel is hij vooral gefocust op zichzelf. Ik ben hier met mijn zogenaamde vriend, die zich in dit gesprek afzijdig zal houden. Tijdens het eerste kop koffie vraagt de man wat ik ervan verwacht. Ik zeg hem dat ik zijn advertentie heb gelezen. 'Tja, hiv,' roep ik. 'Mijn eigen schuld.'

'Voelt u geen aids-verschijnselen?'

Ik antwoord ontkennend.

'U hoeft geen aids te krijgen,' probeert hij me gerust te stellen. In zijn advertentie op Marktplaats had hij het al indirect verteld: hiv is gewoon te genezen. 'De theorie is erg goed, ik heb alleen in de praktijk nog geen bewijs. U bent mijn eerste patiënt.'

Zijn theorie heeft hij wel eens aan artsen en andere geleerden voorgelegd. Daar vond hij weinig gehoor. Hij vervolgt: 'Aids is een eenvoudig virus. De link tussen hiv en aids is niet wetenschappelijk bewezen. Ik zal u uitleggen hoe ik het probleem wil oplossen.'

In het huis heb ik nog geen grote apparaten gezien. 'Hoe wilt u dat gaan doen?' vraag ik. 'Waar staat het apparaat waar u het over had?'

De man gaat me voor naar de andere kant van de kamer. Van achter de kast haalt hij een klein apparaatje tevoorschijn. Het is een zelf in elkaar geknutseld kastje met een accu zoals die van een accuboormachine. Het kastje is verder voorzien van een stukje zilverfolie. Wat moet hij hier in godsnaam mee, vraag ik me af.

Hij loopt naar zijn computer en tovert een grafiek tevoorschijn. Het heeft te maken met de stand van de maan. 'Mijn theorie werkt niet elk moment van de dag. Pas wanneer het exact twaalf uur is, is de werking optimaal,' zegt hij. Het is nu rond de klok van tien uur en ik zeg dat ik niet zo veel tijd heb. 'Dat geeft niet, we kunnen het voor één keer ook nu wel doen.' Een theorie die door praktische problemen wordt aangepast: voor mij valt hij hier door de mand.

De man legt me de werking van het kastje uit. Ik ga op mijn knieën liggen, zodat ik van dichtbij beelden kan maken van zijn uitvinding. Het komt erop neer dat de accu mijn lichaam elektrische schokken geeft en dat herstelt volgens hem mijn immuunsysteem en creëert energie. Ik moet er op blote voeten op staan. Ik doe dat zonder aarzeling. Hij zal me hier vast niet willen elektrocuteren. Wat kan me gebeuren? Ik doe alsof ik wel een beetje bang ben en hij denkt me – opnieuw – gerust te stellen door me op het hart te drukken 'dat er niets kan gebeuren'.

Ik mag niet met mijn handen aan het kastje zitten. Hij maakt de draden vast en vergelijkt het tikje dat ik straks krijg met een hamerslag. Ik hou het papiertje met zilverfolie in mijn hand. Dan zie ik inderdaad een vonkje. Dat betekent volgens hem dat ik 'uit fase ga'. Ik merk er niets van. Dat zeg ik hem ook. Volgens de 'professor' gaan we tijdens de behandelingen de intensiteit langzaam verhogen. 'Het moet straks voelen alsof je een tik van een lamp krijgt.'

Hij stelt voor tien afspraken te maken van ten minste twee uur. Ik vermoed dat het vrij ongevaarlijk is, maar zeker weten doe ik het niet.

Ik doe mijn sokken en mijn schoenen weer aan en loop samen met hem terug naar de woonkamer. Tot nu toe is mijn ervaring dat de wonderlijke behandelingen van kwakzalvers duur moeten worden betaald. Maar niet in dit geval. Zoals al in de advertentie stond, zijn er geen kosten aan verbonden. Behalve dan een opmerkelijke vergoeding als het lukt: hij wil dat ik dan zeven boompjes ga planten. Dat komt volgens hem de wereld ten goede. 'Stel dat miljoenen of miljarden mensen dat zouden doen, dan zou de wereld er een stuk gezonder uitzien.' Het heeft te maken met zijn christelijke geloofsovertuiging. 'Elke geslachtsdaad brengt je verder van God.' Zijn theorie komt uit de Bijbel, zegt hij. Uit de Openbaring van Johannes. Volgens hem heb ik een vriendelijke uitstraling en dat brengt me dichter bij God. Hij praat nog over een gen dat volgens hem 144.000 keer trilt en baalt ervan dat artsen tegen hem zeggen dat hij hiermee moet stoppen. 'De medische wetenschap zoekt het altijd in een bepaalde richting. In de Bijbel kijken ze niet.' Als ik opsta en hem bedank voor zijn tijd en aandacht, meldt hij me nog dat 'ik zeker geen aids krijg'.

Ik ben blij dat zijn eerste patiënt niet echt hiv had. De gevolgen van zijn goedbedoelde plannen zouden desastreus kunnen zijn. Stel je alleen al eens voor dat iemand zozeer in zijn theorie gelooft dat hij of zij de medische wereld links laat liggen. Na de uitzending kom ik zijn advertentie gelukkig nooit meer tegen. Ik had te maken met een kwakzalver – zijn goede bedoelingen ten spijt. Dat blijft hij voor mij, tot hij zelf het tegendeel heeft bewezen. Maar ik hoef geen 'genie' te zijn om te weten dat die Nobelprijs voor hem wel altijd een droom zal blijven.

'U hoeft geen aids te krijgen. De theorie is erg goed, ik heb alleen in de praktijk nog geen bewijs. U bent mijn eerste patiënt.'

SEKSTOERISME

September 2005 Ik ga voor *Undercover in Nederland* voor het eerst de grens over, naar Thailand. Maanden geleden ging ik ervan uit dat ik wilde laten zien hoe Nederlandse sekstoeristen zich daar gedroegen. Maar mijn reisdoel is veranderd: ik ga nu speciaal voor één man: de directeur van een erkend Nederlands reisbureau.

De aanleiding daarvoor waren uitlatingen van deze man tijdens een korte ontmoeting en een telefoontje, een paar maanden voor vertrek. Deze directeur verklapte me dat hij het geen probleem zou vinden als ik met minderjarige meisjes in Thailand het bed zou delen. Sterker nog, wanneer ik bij hem zou boeken, zou hij in Thailand mijn persoonlijke gids zijn in mijn zoektocht naar 'hele jonge meisjes'. Dus boekte ik bij hem die seksreis.

Hartje zomer 2005 Ik zit op een bankje in Amsterdam en onderhandel met junks over de prijs van een gestolen fiets. Eén van hen heeft een slijptol bij zich en laat die trots zien. Een ander wil me meenemen naar de opslagplaats van zijn gestolen fietsen. Maar dat kan volgens hem pas over een paar uur. Om die doelloze uren te vullen, besluit ik samen met een collega bij een willekeurig reisbureau om de hoek naar binnen te stappen. We hadden als redactie bedacht dat sekstoerisme een goed onderwerp was om aandacht aan te besteden. Thailand staat al decennia lang te boek als een van de populairste bestemmingen voor sekstoeristen en ook Nederlanders zouden een grote rol spelen bij het in stand houden van dit verwerpelijke fenomeen. Misschien was het aardig om, als begin voor de reportage, eens te kijken hoe reisbureaus in Nederland op mij als 'sekstoerist' zouden reageren. Maar ik stapte het reisbureau vooral binnen om een reis voor mij en mijn collega te boeken naar Thailand.

Het bureau dat we bezoeken is gespecialiseerd in oosterse reizen en is aangesloten bij de overkoepelende reisorganisatie ANVR. Daarmee is het een erkend bureau. Een medewerker van het bureau heet ons vriendelijk welkom en ik zeg in Thailand niet op zoek te zijn naar musea en prachtige natuur. 'Ik wil er een gezellige tijd hebben, als je begrijpt wat ik bedoel.' Zonder dus exact duidelijk te maken wat ik wil, weet deze medewerker precies waar ik voor kom. Hij roept de specifieke, 'deskundige hulp in van zijn baas', de directeur van dit reisbureau. Deze man woont het grootste gedeelte van het jaar in Thailand. Hij is graag bereid onze gids te zijn in Bangkok en Pattaya. 'Voorwaarde is alleen dat jullie hier alles regelen. Dan wordt het pico bello.' De directeur laat doorschemeren dat het erg verstandig zou zijn juist bij hem te boeken. Hij beschikt over de informatie waar ik als sekstoerist naar op zoek ben en is graag bereid mij hierin te adviseren, ook in Thailand. Dus in plaats van mijn voorstel af te keuren, moedigt hij me aan bij hem te boeken.

Ik: 'Het zijn niet alleen ouwe taarten?'

Hij: 'Ah nee, niemand wil die hebben.'

Ik loop naar buiten, perplex en met een seksreisoptie op zak. Ik weet niet hoe hij over kinderprostitutie denkt, dat heb ik hem nu nog niet gevraagd. Maar als we dan toch bij een reisbureau de reis moeten boeken, dan maar bij hem, bedenken we. Het bezoekje heeft lang geduurd en ik moet me haasten voor de afspraak met de junk die me zijn gestolen fietsen wil laten zien. Ik ben op tijd, maar de junk komt niet opdagen.

Een paar dagen later bel ik met de directeur om de reis te bevestigen. Als 'Albert Stegeman'. Ik moet met mijn eigen paspoort vliegen en als hij mij via *Google* opzoekt, weet hij dat ik van *Undercover in Nederland* ben. Daarom laat ik voor de zekerheid de 'o' weg. Als hij 'Albert Stegeman' intikt, vindt hij niets. Het is niet veel, maar elke mogelijkheid om risico's uit te sluiten, wil ik benutten. Hij komt meteen tot de kern en wil 'van man tot man met me praten'.

'Meiden onder de 18 is geen probleem. Het is wel een probleem als je met een meisje gaat dat nog echt een kind is, dan word je opgepakt wegens kinderprostitutie. Daar moet je voor uitkijken. Maar 14, 15 jaar is geen probleem. Dat kun je haast niet beoordelen, dus dan is het in orde. Dat komt heel vaak voor. De politie komt alleen in actie als je met drugs in aanraking komt. Dan is het link. Gewoon een jong meisje: niks aan de hand. Je zult er zeker terugkeren. Honderd procent. Je kunt leuk je gang gaan.'

Over wetgeving en mogelijke straffen in Thailand houdt de man zijn mond. Als ik ophang, kijk ik naar mijn collega die tegenover me zit. Het is moeilijk te geloven wat we zojuist hebben gehoord. Uit de mond van een directeur van een erkend reisbureau.

Voor mij is na het telefoontje duidelijk dat hij vooral aan mijn seksreis wil verdienen. Ik spreek met de man af dat we elkaar een dag na aankomst in Bangkok ontmoeten, zodat hij ons de weg kan wijzen.

Een reisbureau dat is aangesloten bij de ANVR moet zich houden aan een gedragscode. Hierin staat dat leden zich op geen enkele manier mogen inlaten met het organiseren en aanbieden van reizen die mede kinderprostitutie ten doel hebben.

Als voorbereiding op de reis spreek ik op chatsites, zogenaamd als sekstoerist, met andere Thailandgangers. Ik maak er 'digitale vrienden' die me trots foto's sturen van henzelf en de trips die ze hebben gemaakt. Een van hen stuurt me ongegeneerd foto's van zichzelf met drie jonge kinderen. Ik moet er bijna letterlijk van kotsen.

September 2005 Ik ben klaar voor vertrek richting Bangkok. We gaan met z'n tweeën. De apparatuur hebben we verdeeld over zoveel mogelijk tassen. De rugtassen die we in Thailand zullen gebruiken voor de verborgen camera's nemen we mee als handbagage. Daar zitten een aantal draden doorheen, maar die lijken op snoeren voor een iPod of een cd-speler. Dat hoeven we uiteindelijk niet uit te leggen; de tassen komen zonder problemen door de scans op Schiphol.

Onderweg lees ik de feiten over dit 'paradijs voor sekstoeristen'.
- Er worden tienduizenden kinderen misbruikt in Thailand.
- In de hoofdstad Bangkok werken meer dan tweehonderdduizend prostituees.
- Ongeveer één op de tien prostituees is minderjarig.

We komen 's avonds laat aan. Ook op het vliegveld van Bangkok worden geen vragen gesteld over onze apparatuur. Als dat wel gebeurd zou zijn, hadden we ons verhaaltje klaar. Voor de douaniers zijn we 'natuurliefhebbers' en 'helemaal gek van vogels'. Als we onze paspoortcontrole hebben gehad en de bagage in ons bezit is, maken we in de aankomsthal – op een openbare plek valt dat nog het minst op – de verborgen camera's in orde. Binnen *no time* draaien ze. Oefening baart kunst.

Buiten het vliegveld wacht een medewerker van de reisorganisator ons op. Ze vertelt me dat de directeur ons morgen wil ontmoeten. 'Hij belt jou als je in je hotel bent.' Ze brengt ons met een busje naar ons hotel, in het bruisende centrum van Bangkok. We stellen haar geen vragen over sekstoerisme; we weten niet of zij hetzelfde weet als de directeur.

In onze hotelkamer maken we alle apparatuur in orde. We

controleren de camera's, leggen de accu's aan de lader, maken de grotere camera – bedoeld voor algemene beelden en presentaties – draaiklaar en zorgen dat we de telefoontjes die we plegen kunnen tapen.

Als dat allemaal klaar is, gaat het bordje DO NOT DISTURB op de kamerdeur. Vijf minuten later proosten we met onze glaasjes bier, in het zwembad op het dak van ons hotel. Bangkok ligt er vannacht prachtig bij.

'Ik heb ze ook het liefst fris. Iedereen zoekt dat toch automatisch. Ik heb wel het een en ander bekeken en gedaan. En niet alleen hier, hoor. Als je het wilt weten: heel Azië is een tuin waar je goed kunt grazen, echt waar.'

De volgende ochtend belt de directeur. We nemen het gesprek op. 'Ik ben bijna bij jullie. Tot zo.' Ik zeg hem dat we wel naar de lobby komen – hij mag nu niet onze kamers zien – en zetten vlug onze verborgen camera's aan. We stoppen de overige apparatuur terug in de koffer, voor het geval hij toch per se naar onze kamer wil. Als we even later beneden zijn, staat de directeur al aan de balie. Hij ontvangt ons hartelijk en bekijkt de stadskaart. De man stelt voor even in de lobby een korte uitleg te geven over Thailand. Het gaat al snel over prostitutie, wat er zoal mogelijk is in dit land en over zijn eigen voorkeuren.

'Mij trekt het als de meisjes zwart haar hebben met amandelvormige ogen. Van die half-Chinese ogen. En vanavond wil ik jullie naar een paar van die wijken brengen waar een hoop te zien is. Je hebt massagesalons waar ze allemaal met nummers op rijen zitten, dan kun je uitzoeken. Je kunt alles krijgen. Wel met condoom.'

Als ik hem vraag of we 'met leeftijden voorzichtig moeten zijn', herhaalt hij dat 'we ons bij ieder meisje dat 15 jaar of ouder is geen zorgen hoeven te maken'.

Tijdens het gesprek lopen er steeds schaars geklede dames langs. Het zijn prostituees. Zij werken in de bar naast het hotel. Onze reisagent vertelt dat het een bordeel is, maar we vinden daar volgens hem niet wat we zoeken. Ik beleef het gesprek heel dubbel. Aan de ene kant ben ik voor ons verhaal blij dat hij is komen opdagen en ons persoonlijk begeleidt. Aan de andere kant erger ik me mateloos aan zijn toontje, zijn minachting voor de Thaise vrouwen en dat lachje van hem. Telkens, na iedere nare seksistische opmerking, dat lachje. Hoe hou ik het hier nog tien dagen met hem vol zonder mijn ergernis te laten blijken?

Om een indruk te krijgen van Bangkok – we blijven hier in totaal drie dagen – laat de man ons eerst de stad zien voordat we doorreizen naar Pattaya. Hij gaat voorop en komt op mij over als een deskundige. Hij ziet in één oogopslag of de club wel of niet geschikt is. Onder 'geschikt' verstaat hij een club of bar met jonge meiden. 'De duurdere massagesalons hebben heel jonge meisjes. Dan betaal je 3000 baht. Daar komt niets meer bij. Dat is 60 euro. Dan heb je bloedjonge meisjes.' Mijn collega informeert of ze in de clubs of disco's naar ons paspoort zullen vragen. 'Welnee. Jullie hoeven niet huiverig te zijn.'

We struinen door straten waar het stikvol zit met meisjes in bars en disco's. Hij geeft ons weer een reistip: 'Een vip-behandeling betekent dat je jonge frisse blaadjes krijgt.'

Mijn collega en ik bezoeken de volgende twee avonden de clubs die hij ons aanwees. We nemen de verborgen camera mee. We zien wat hij ons had aangekondigd: jonge meisjes, oude mannen. De mannen zijn allemaal lelijk.

We gaan vroeg naar huis. Dat melden wij hem ook de volgende dag. 'Jullie moeten fit zijn voor Pattaya hè!' Weer dat lachje.

'Als je nog een keer terugkomt en je hebt wat meer tijd, dan zou je misschien naar Birma kunnen. Daar heb je jonkies, echt jonkies.'

Pattaya is wereldwijd berucht als seksoord. De reisagent had ons in Nederland geadviseerd vooral daar naartoe te gaan. Hij brengt ons er zelf heen en gelooft ons verhaal inmiddels volledig. Hij wil ons ook steeds meer adviezen geven waar we minderjarige meisjes kunnen vinden. 'In disco's kun je een hoop tegenkomen van jullie smaak. Jonkies, het sterft ervan.' Ondertussen bladert hij door seksblaadjes. 'Meegenomen voor jullie, voor de lange rit.'

Ik vraag of Pattaya voor ons beter is dan Bangkok.

Het antwoord, een monoloog, is mensonterend.

'Ja, ik denk het wel. Een hoop van die meisjes doen het misschien voor het eerst van hun leven. Die zijn nog heel erg bang. Die zijn een jaar of 15 of zo. Als je nog een keer terugkomt en je hebt wat meer tijd, dan zou je misschien naar Birma kunnen. Daar heb je jonkies, echt jonkies. Dat is de grens met Birma, Laos en Thailand. Daar vind je ze gewoon, hele jonkies. Kinderprostitutie wordt daar niet vervolgd. Je wilt toch een jong meisje hebben. Dat wil iedereen. Dat is natuurlijk en normaal. Ik zoek natuurlijk ook het meest verse.'

Ik luister, knik, lach mee, en concentreer me op de tas met verborgen camera. Hij gaat verder.

'Ik heb ze ook het liefst fris. Iedereen zoekt dat toch automatisch. Ik heb wel het een en ander bekeken en gedaan. En niet alleen hier, hoor. Als je het wilt weten: heel Azië is een tuin waar je goed kunt grazen, echt waar. Vietnam zou ook nog kunnen. In het noorden, Hanoi. Kakelvers. Dan weet je niet waar je aan begint. Het is echt het land van de vrijheid. Want je kunt doen wat je zelf wilt.'

Het is moeilijker dan ooit tevoren me in te houden. Ik wil tegen hem schreeuwen, maar ik zeg niets.

We zijn gearriveerd in Pattaya, een stad waar een Nederlander me ter plekke over zegt 'dat als je een dag niet geneukt hebt, je een verloren dag hebt'. Als we inchecken in het hotel, wacht de reisagent buiten. Hij laat ons daarna direct de bordelen zien. De meisjes staan er uitgestald alsof het goederen zijn. Alle meisjes hebben een nummer en als klant kun je zodoende eenvoudig het meisje uitkiezen. Hoe jonger de meisjes, hoe duurder ze zijn. Hoe jong ze precies zijn is me niet duidelijk. Hier denk ik terug aan de opmerking van de reisagent toen ik hem in Nederland aan de telefoon had. Toen vertelde hij me dat 'het prima is zolang ze eruitzien als 14 of 15'. Hij brengt ons ook naar de plaatselijke vvv. Daar krijgen we een lijst met alle discotheken. De reisleider wijst ons de 'beste ontmoetingsplekken aan voor klant en prostituee'. Hij heeft nog meer tips. 'Als iemand goed Engels spreekt, dan is ze waarschijnlijk wat ouder. Als het jonkies zijn, spreken ze slecht Engels, maar zijn ze aardig *hot*. Het is net als nieuwe haring, toch?'

De man heeft ons 'alle mogelijke informatie gegeven'.

'Jullie kunnen lekker je gang gaan.' Hij keert voor zaken terug naar Bangkok. Wij hebben vijf dagen en nachten voor onszelf.

In die dagen gaan we op zoek naar Nederlandse kroeghouders. Hoewel het uitbaten van prostitutie in Thailand officieel verboden is, zijn kroegen in Pattaya vrijwel uitsluitend verkapte bordelen. Ik zie duizenden jonge meisjes. Ze gillen 'sexy man' om me over te halen voor een vrijpartij. Er is meer aanbod dan vraag, maar er lopen toch genoeg sekstoeristen. Ik doe me ook als zodanig voor, maar hoef gelukkig niet geïnteresseerd te doen. Het valt niet op als je 'nee' verkoopt.

Ook overdag en 's avonds doen we ons voor als sekstoeristen. Het is vooral een vreemd gevoel dat je weet dat andere mensen dat van je weten. Wat zouden ze denken? In het hotel waar we verblijven, zitten bijvoorbeeld ook enkele Nederlanders. We trekken op met een homostel uit Amsterdam en een stel uit Den Haag. We mijden de onderwerpen 'jonge meisjes' en 'sekstoerisme', maar ook zij weten dat we iedere avond de seksboulevards afstruinen. Met deze Nederlanders praten we over koetjes, kalfjes, Den Haag, Rotterdam, Amsterdam en maatpakken.

Tijdens onze avondwandelingen zijn we op zoek naar Nederlandse kroegen. We praten er met de uitbaters en al snel blijkt dat ook in veel Nederlandse kroegen bardames als hoer werken. De meeste eigenaren zeggen dat de meisjes zichzelf aanbieden en dat het lastig is de leeftijd te schatten. Dat is vaak niet gelogen, alleen zouden zij beter moeten weten. In een rapport van Terre des Hommes uit 2000 staat geschreven dat de meisjes vaak afkomstig zijn uit arme families uit de bergen in het noorden van Thailand. Ze worden geronseld en verkocht aan bordeelhouders of fabrieksbazen om te werken als slaven. Het gebeurt meer dan eens dat goedgelovige ouders hun kind direct al na de geboorte verkopen. Het rapport meldt verder dat deskundigen ervan uitgaan dat meer dan de helft van alle jonge prostituees in Bangkok besmet is met het hiv-virus. Dat vertellen de Nederlandse bordeelhouders me er niet bij als ik eens voorzichtig vraag naar de prijzen van hun meisjes.

Ik moet ook uit het rapport halen dat alleen al in Azië meer dan een miljoen kinderen in de prostitutie werken. Meer dan een miljoen kinderen!

'Als het jonkies zijn, spreken ze slecht Engels, maar zijn ze aardig hot. Het is net als nieuwe haring, toch?'

Ik besteedde in de uitzending ook aandacht aan de Nederlandse bordeelhouders en hun werkwijze. Dat ze bitterballen, kroketten en hoertjes op het menu hadden staan. Ik concludeerde dat ze op deze wijze meehielpen kinderprostitutie in de wereld in stand te houden. Maar de uitzending ging vooral over de directeur van het erkende reisbureau, die me bij vertrek nog een laatste advies meegaf. 'De volgende keer weet je de weg. Dan wordt het nog leuker en kun je nog jongere blaadjes vinden. Je bent nu ingespeeld.'

Ik heb voor ik weg kan nog een probleem: hoe krijg ik tassen met verborgen camera's Thailand uit? We hebben in clubs en disco's gefilmd, we hebben beelden van seksshows met jonge jongens en meisjes. Wat zal de Thaise douane denken als ze deze beelden zouden zien? We kunnen weliswaar aantonen dat we Nederlandse journalisten zijn, maar zullen de Thaise autoriteiten daar genoegen mee nemen? Ik realiseerde me dat tapes met naakte kinderen als kinderporno kunnen worden aangemerkt, maar ik durf de tapes niet op te sturen naar Nederland. Ik ben banger dat de tapes zoekraken dan dat douaniers de beelden willen zien. Want hoe groot is nou werkelijk die kans? Er worden gelukkig opnieuw geen vragen gesteld over de camera's en de tapes. Niet in Thailand en niet in Nederland. Zodoende kunnen we het afstotelijke verhaal van deze directeur in de openbaarheid brengen en Nederland laten zien dat het mogelijk was een seksreis te boeken bij een erkend Nederlands reisbureau.

Nog geen week na de uitzending is het reisbureau geschorst door de ANVR. De overkoepelende reisorganisatie zegt, na eigen onderzoek, 'het handelen van de bewuste reisonderneming niet te kunnen tolereren'.

Een rake conclusie, natuurlijk. Hoe zou de directeur zelf naar de uitzending hebben gekeken? Zou hij spijt hebben van zijn teksten? En zou hij spijt hebben om de goede redenen? Het beeld dat ik van hem heb is dat van een oude, dikke man die 'ook zelf het een en ander bekeken en gedaan heeft'. Er moet veel gebeuren voordat dat beeld vertroebelt.

KAAIMANNEN

Uiteraard slaagt niet alles wat ik van tevoren als onderwerp bedenk. Zo hadden we voor het eerste seizoen het plan opgevat een uitzending te maken over illegale exotische beesten in Nederland. Uiteindelijk kreeg ik dat om verschillende redenen (nog) niet voor elkaar, maar daardoor ontmoette ik wel een jongen die op zeer onverantwoorde wijze kaaimannen op zijn zolderkamer hield. De jongen had een paar maanden eerder nog voor landelijk nieuws gezorgd, maar daarvan was ik niet op de hoogte toen ik hem ontmoette.

'Ik neem de kaaimannen wel eens mee naar beneden en dan lopen ze vrij rond in de kamer.'

Op de dag van de afspraak parkeer ik de auto vlak voor zijn huis en loop met een collega onder een poort door naar de voordeur. De jongen doet joviaal open en gaat ons meteen voor naar boven. Wasrekken hangen onhandig in de weg, maar als we dan uiteindelijk op het zolderkamertje zijn, kan ik me niet voorstellen dat ik hier vind wat ik zoek: kaaimannen. Deze jongen had ze op internet aangeboden, op Marktplaats. De twee kaaimannen, 75 centimeter lang, wil hij kwijt voor 150 euro per stuk. In de advertentie stond niet of hij er ook de benodigde papieren bij kon leveren. Daarmee was mijn nieuwsgierigheid gewekt.

Ik had het me natuurlijk al afgevraagd toen ik de advertentie had gelezen: waar laat hij die kaaimannen? Ik ging ervan uit terecht te komen in een groot huis, met een tuin, misschien met een vijver. In elk geval met genoeg ruimte om de kaaimannen te verzorgen. Maar ik ben in een doorsnee buurt in een middelgrote stad in het zuiden van het land. De rijtjeswoningen zijn klein, er is geen grote tuin en er is al helemaal geen vijver. En al was er wel een vijver geweest, dan zou dat alsnog geen optie zijn geweest. De buren zouden deze krokodilachtigen vanuit het bovenraam gesignaleerd hebben en dan zou het snel over zijn met de pret. Nee, dan maar op zolder, moet deze jongen gedacht hebben.

De verkoper woont nog thuis, bij zijn moeder, en ik stel me voor hoe zo'n gesprek is verlopen.

'Mam, ik heb een paar kaaimannen gekocht. Waar kan ik ze laten?'

'Doe maar boven jongen, helemaal op zolder. Hoe groot worden die beesten?'

'Iets meer dan twee meter mam, oké?'

'Als ik er maar geen last van heb, jongen.'

In de meeste huishoudens in Nederland zou zo'n gesprek domweg onmogelijk zijn, maar hier is het heel goed voorstelbaar. Ik vraag hem of zijn moeder op de hoogte is van het verblijf van deze twee joekels in spe. 'Jazeker, ik neem ze wel eens mee naar beneden en dan lopen ze vrij rond in de kamer.' Een kaaiman als troeteldier. Alsof het een cavia of kat is.

'Ja, één keer is er een kaaiman vanaf zolder ontsnapt.'

De jongen heeft provisorisch een zwembadje in elkaar geknutseld dat lijkt op een terrarium. De twee jonge kaaimannen zwemmen erin rond en hebben weinig ruimte. Het badje is hooguit een halve meter hoog, met een slappe plastic rand eromheen. Dit is geen plek waar de kaaimannen zich lang kunnen ophouden. De beesten groeien als kool en zijn binnen de kortste keren te groot voor dit pierenbadje.

'Is het wel eens misgegaan?' vraag ik. 'Ja, één keer is er een kaaiman vanaf zolder ontsnapt. Ik weet nog steeds niet precies hoe het beest naar buiten is gekropen.'

Die avond, als ik thuis ben, ga ik op zoek naar berichten hierover en vind ik zijn opmerkelijke verhaal, verpakt in korte nieuwsberichten. Zelfs NOS-teletekst berichtte erover.

Kaaiman wandelt door Oss

OSS – De politie in Oss werd zondagochtend op de Heihoeksingel door enkele mensen tot stoppen bewogen, omdat er een vreemd beest over straat wandelde. Toen de agenten uit de auto stapten, bleek het om een ongeveer zeventig centimeter lange kaaiman te gaan, aldus de politiewoordvoerder. Een van de voorbijgangers, een reptielenliefhebber, slaagde erin het dier te vangen, waarna het door de dierenambulance is overgebracht naar reptielenhuis Iguana in Vlissingen. Het is nog onbekend waar de wandelende kaaiman vandaan komt.

Waar de kaaiman vandaan kwam, is mij inmiddels wel duidelijk geworden. Maar maanden na deze ontsnapping zwemmen er nog steeds twee kaaimannen in zijn amateuristisch geprepareerde pierenbadje. Hoe is dat mogelijk? Het antwoord lees ik diezelfde avond nog op verschillende internetforums.

Eigenaar kaaiman meldt zich

De eigenaar van de kaaiman die zondagochtend in Oss werd aangetroffen, is gevonden. Een 19-jarige Ossenaar heeft laten weten de eigenaar te zijn van het ontsnapte dier. Dit heeft een woordvoerder van de politie maandag bekendgemaakt.

De man uit Oss vertelde de kaaiman vorig jaar tegelijkertijd met nog een exemplaar in de plaatselijke dierenwinkel te hebben gekocht.

Een van de dieren heeft kunnen ontsnappen omdat ze inmiddels zo zijn gegroeid dat ze hun terrarium uit kunnen klimmen, zo verklaarde de man.

Het ontsnapte roofdier heeft nu een lengte van ongeveer zeventig centimeter en hij kan uitgroeien tot zo'n tweeënhalve meter. Een kaaiman kan zo'n veertig jaar oud worden. Wanneer de 'reptielenliefhebber' voldoende kan aantonen dat hij de eigenaar is, kan hij het dier ophalen in het reptielenhuis Iguana in Vlissingen.

Het is deze 19-jarige Ossenaar inderdaad gelukt aan te tonen dat hij de rechtmatige eigenaar is en hij heeft de kaaiman zonder blikken of blozen opgehaald in Vlissingen. 'Dat was geen enkel probleem. Ik moest m'n papieren laten zien en ik kon er zo mee weglopen.' Hij vertelde er in Vlissingen niet bij dat hij nóg een kaaiman bezit. Hij weet niet meer bij welke van de twee de enige vergunning hoort die hij heeft. Maar dat deert volgens hem ook niet: 'Als de kaaiman niet ontsnapt, is er per slot van rekening niemand die ernaar vraagt. Bovendien kun je deze papieren gebruiken voor beide kaaimannen, dat werkt heel goed.'

Ik weet niet dat dit verhaal het nieuws al gehaald heeft en verbaas me erover hoe makkelijk hij me dit vertelt. Ook vreemd is dat hij de kaaimannen aan mij kwijt wil 'omdat deze kaaimannen niet meer thuis te houden zijn'. Wat ik er dan vervolgens mee moet, daar stelt hij geen enkele vraag over. Dat zal hem blijkbaar 'worst wezen'.

Jonge kaaimannen zien er grappig uit, maar als huisdier halen ze uiteindelijk vaak de internationale pers. Zoals de Schot die een 120 centimeter lange brilkaaiman in zijn flat hield. Hij had ook een stuk regenwoud gemaakt voor zijn huisdier en liet het beestje, met zeventig vlijmscherpe tanden, rondzwemmen in een opblaasbaar zwembadje. Ook deze man wilde ervanaf omdat het beest te groot werd. Het reptiel werd in beslag genomen en de man mocht vijf jaar lang geen huisdieren meer houden. Hij ontliep een gevangenisstraf omdat hij volgens de rechter 'te dom was om in te zien hoe gevaarlijk zijn huisdier was'.

De jonge verkoper uit Oss ziet zijn kaaimannen ook als huisdier, maar moet er nu toch vanaf. Maar ja, aan wie? De kaaimannen worden alsmaar groter en waar laat je uiteindelijk twee reptielen van bijna drie meter? Hij had beide kaaimannen voor een habbekrats meegenomen uit een dierenwinkel. Pas maanden later kwam hij erachter dat het verrekte onhandig is deze beesten een gelukkig leven te bezorgen op zijn zolderkamertje. Een duidelijk voorbeeld van een impulsaankoop.

De jongen haalt een van zijn kaaimannen uit het zwembadje. Het beestje spartelt wat tegen, maar ik ben niet bang. Ooit heb ik samen met een vriend in het tropisch regenwoud van Venezuela 's nachts kaaimannen gevangen in het wild op de rivier Rio Caura. Dat was spannender. We moesten de beesten met een zaklamp in de ogen schijnen. Zodoende verblind je de kaaiman voor precies één minuut. In die tijd kun je het beest van achteren benaderen en razendsnel bij zijn kop pakken. Het grootste gevaar vormde nog de wankele boot – een uitgeholde boomstam – in deze rivier.

Ik zie dat hij in een hok ook veel muizen houdt. Ik vraag of het voer is voor z'n kaaimannen. Daarop grinnikt hij wat en loopt naar de andere kant van de gang. Hij opent een deurtje en ik zie een kluwen van tientallen slangen. Mijn hemel, niet gekooid en alles door elkaar. 'De muizen zijn voor deze slangen.'

In de wildernissen van Afrika of Zuid-Amerika zitten nog niet eens zoveel verschillende slangen bij elkaar als op dit zolderkamertje. De slangen krioelen door elkaar heen en de jongen pakt er een aantal op. 'Deze heb ik gekocht op een markt in België. Voor een paar tientjes kon ik ze meenemen. Mooi hè?' Ik luister nog nauwelijks. Ik kan me niet voorstellen dat hij een dierenliefhebber is, zoals hij zichzelf omschrijft. Hij is 'trots op zijn nagebootste tropenbos', maar geen dierenkenner die ik later spreek, is het daarover met hem eens. Het is eerder 'schandalig', 'verschrikkelijk' en 'gevaarlijk'. Zo denk ik er ook over.

Er zijn gifslanghouders in Nederland en daar is natuurlijk op zich niets mis mee. Maar de verantwoordelijkheid die dat met zich meebrengt, moet wel geaccepteerd en nagevolgd worden. Deze jonge verkoper houdt werkelijk nergens rekening mee. Er zijn geen papieren en de beesten leven onder erbarmelijke omstandigheden. Gifslangen, ratelslangen, cobra's: hij heeft van alles. De beesten zien er mager en ziek uit en de jongen bevestigt dat. De reden is dat het kacheltje het niet doet. Deze moet voor de zo broodnodige tropische hitte zorgen, maar het is er nu waterkoud. 'Tja, da's wel jammer voor die beesten. Dit is niet goed voor ze. Ik moet het maar snel repareren.' Inderdaad, denk ik, voor het voor deze beesten te laat is.

Dan, plotseling, hoor ik geritsel. Vanuit mijn ooghoek zie ik een reptiel het hok uit rennen. Het is de watervaraan die hij me eerder aanwees. Hij vertelde er niet bij dat de beesten drie meter lang kunnen worden en levensgevaarlijk zijn. Ook las ik pas later dat ze vooral voorkomen in rivieren en moerassen in veel Aziatische landen. Nederlandse zolderkamers werden daarbij niet genoemd. Er zijn zelfs gevallen bekend van watervaranen die menselijke resten opgroeven en vervolgens opaten. De varaan ziet er vervaarlijk en indrukwekkend uit en loopt recht op me af. Ik smijt de deur dicht. 'Hij ontsnapt!' roep ik. 'Dit is toch niet normaal?'

De verkoper verontschuldigt zich. 'Ik was vergeten het luikje dicht te doen.' Hij vindt mijn reactie overdreven. Zijn redenering slaat echt alles: 'Als de varaan was ontsnapt, hadden de slangen hem wel opgegeten.' Tja, zo kun je alle problemen relativeren. Ik zeg dat ik zal nadenken over de twee kaaimannen en loop langs de wasrekken terug naar beneden, het poortje onderdoor terug naar de auto. Nu ik de kaaimannen niet gekocht heb, blijven ze achter in het zwembadje. Ik bel hem de volgende dag om te zeggen dat ik afzie van de koop. Ik adviseer hem ook nog de kaaimannen en de slangen naar een opvanghuis voor reptielen te brengen. Hij zal erover nadenken, zegt hij. Het zal je buurman maar wezen...

'Als de varaan was ontsnapt, hadden de slangen hem wel opgegeten.'

VERBODEN WAPENS

In Nederland is alles te koop. Dat geldt ook voor verboden wapens. Het was geen kinderspel om die stelling te onderzoeken met mijn verborgen camera. Vooraf bedacht ik me dat dit de gevaarlijkste wereld was om in te infiltreren; een fout kon mij of mijn collega's direct duur komen te staan. Ik kon het me niet veroorloven tijdens een deal over messen of vuurwapens ontmaskerd te worden. Er waren meer bezwaren. Dit onderwerp kwam pas in het tweede seizoen aan de orde in *Undercover in Nederland*, waardoor herkenning een extra grote risicofactor was. Hoe groot dat risico was, was onmogelijk in te schatten. Ondanks alles besloot ik het erop te wagen.

Ik wilde laten zien hoe makkelijk of moeilijk het is in ons land aan een wapen te komen. In eerste instantie oriënteerde ik me zo breed mogelijk. Ik had werkelijk geen idee waar ik terecht zou komen. Zou het me überhaupt lukken om verboden wapens te kopen? Hoe regel je een vuurwapen? Hoe kom je aan illegale messen? Wie levert honderd busjes pepperspray? Ik moest *partner in crime* worden met de verkopers. Maar wie zou ik treffen? En er was natuurlijk altijd een kans dat ik zelf in de val zou worden gelokt door wapendealers die mijn plannen doorzagen.

Ik nam me voor niet te laten zien dat ik bang was, mocht dat een keer het geval zijn. Verder had ik geduld nodig en wilde ik niet te snel nieuwsgierig overkomen. Ik wilde geen vrienden maken, zolang dat niet nodig was. Dat zou mijn undercoverbaan er niet makkelijker op maken. Ik probeerde dus zo afstandelijk mogelijk te blijven, maar soms móést ik wel vriendschappelijk worden. Dan kwam ik bij wapenhandelaren op visite en dronk ik er koffie, alsof ik een goede kennis was. Ik mengde me in de wapenscene met verschillende valse identiteiten. Undercover op pad was de enige manier om een zo authentiek mogelijk beeld te schetsen van deze wereld. Nepwapens, pepperspray en illegale messen stonden hoog op mijn verlanglijstje. Een vuurwapen trof ik al eerder aan op de zolderkamer van de vader van een politieman. Toen ik bij hem aanbelde, wist ik nog niet dat hij ook een vuurwapen thuis had. Dan had ik me vooraf zeker méér zorgen gemaakt.

Ik had gereageerd op een advertentie waarin hij verboden politie-uniformen aanbood. Hij wilde er vanaf omdat hij wist dat het niet mocht en was bang zichzelf en zijn zoon ermee in de problemen te brengen. Iemand anders er moeilijkheden mee bezorgen, vond hij blijkbaar geen punt.

te koop div unifurm,s van de politie.
overal zitten petten bij en in zeer goede staat.
ik doe dit weg om dat ik stop met mijn hobby.
te koop van mijn verzameling.
een koninklijke marechaussee uniform met pet in primastaat.
ik heb div uniforme te koop van de politie te water
van de rijkspolitie
van de gemeente politie het blauwe jasje met alles erop en aan met pet.ale uniforms zijn met pet en in prachtige staat.
(Bron: www.verzamel.2dehands.nl.)

De verkoper was in een goede bui. Hij showde mij en mijn collega de uniformen en liet zien ook over tientallen emblemen, politiepetten en een verboden wapenstok te beschikken. 'Tja, wat wil je ook. Mijn zoon zit bij de politie en die neemt wel eens wat voor me mee. Dan loopt zo'n kamer aardig snel vol,' verklaarde de man de grote hoeveelheid spullen. Ik paste verschillende uniformen, waarbij het wel een verkleedpartij voor carnaval leek. We deden daar wat melig over – de verkoper vond dat ik op een echte politieman leek – en vervolgens ging hij ons voor naar een andere kamer. Hij zag ons blijkbaar als vertrouwelingen, want daar toverde hij een vuurwapen tevoorschijn. Het wapen zat nog als nieuw verpakt in het officiële politiedoosje. Ik moest er 400 euro voor neertellen. 'Pas wel op hoor. Niet met je vingers aankomen, want als er wat mee gebeurt, krijg jij straks nog de schuld.' Hij liet me ook de kogels zien die erbij hoorden. Ik filmde het wapen van dichtbij met de verborgen camera in mijn tas en pas achteraf dacht ik na wat er had kunnen gebeuren als hij dat toevallig had ontdekt.

Bij deze man heb ik uiteindelijk niets gekocht. Zowel de uniformen als het vuurwapen liet ik onaangeroerd achter.

De man was vriendelijk, behulpzaam en behalve verzamelaar ook handelaar in wapens. Op straat zou ik hem niet als crimineel bestempelen. In dat opzicht verrassen de uiterlijkheden van de mensen die ik ontmoet me vaker. Dan verwachtte ik bijvoorbeeld een protserig type en bleek het een gentleman te zijn. Het gebeurde natuurlijk ook andersom. Dan verwachtte ik een grote deal te maken met een man in pak en dan kwam er een midtwintiger in een aftandse Ford Escort. Ik heb geleerd dat het woord crimineel of oplichter bijna nooit op iemands voorhoofd staat geschreven.

'Niet met je vingers aankomen, want als er wat mee gebeurt, krijg jij straks nog de schuld.'

Ook nepwapens zijn in groten getale in ons land in omloop en als ik deze zou tegenkomen, zou het in mijn ogen prima passen in de uitzending van *Undercover in Nederland*. Deze namaakpistolen en revolvers lijken sprekend op echte wapens en zijn in het buitenland makkelijk te verkrijgen. In Nederland vallen ze onder de wapenwet en zijn dus verboden. Ondanks het feit dat veel mensen er lichtzinnig over denken, kleven er veel gevaren aan. Je zou er een bank mee kunnen overvallen. Of een politie-agent zou het ding, als een kind er onschuldig mee op straat loopt te zwaaien, voor een echt wapen aan kunnen zien. De politieagent moet bij verdachte bewegingen ingrijpen en dat zou kunnen leiden tot een zeer gevaarlijke situatie. Veel criminelen maken gebruik van nepwapens tijdens overvallen en berovingen. Er zijn bovendien gevallen bekend waarbij scholieren andere leerlingen of docenten bedreigen. Daarom vond ik het relevant te reageren op een advertentie waarin twee nepwapens werden aangeboden. Zeker omdat de verkoper ook nog eens minderjarig (15) was.

Eenmaal bij de jongen thuis demonstreerde hij me de pistolen op zijn slaapkamer. Hij vertelde erbij dat zijn broertje, die nog op de basisschool zat, ermee over straat liep. De vader was tijdens de deal gewoon thuis. Ik verbaasde me erover dat hij lachend vertelde over wat zijn zoon met de verboden wapens had uitgespookt. Voor dat feit zou de vader overigens ook aansprakelijk gesteld kunnen worden en kunnen worden aangehouden.

De jongen vertelde me dat hij al eens eerder was gepakt met een verboden mes. Het werd hem nu te heet onder zijn voeten en mede daarom wilde hij de nepwapens verkopen. Hij had natuurlijk beter de neppistolen kunnen inleveren bij de politie. Behalve dat hij gesnapt was door *Undercover in Nederland*, was voor hem – tot de uitzending – ook onduidelijk wat ik, als nieuwe koper, met de pistolen van plan was.

Ik vond tot nu toe kinderlijk eenvoudig een aantal wapens. Na een vuurwapen en neppistolen was het ook een *piece of cake* om pepperspray in mijn bezit te krijgen. Het spul is streng verboden in ons land, desondanks kon ik ze met een mailtje bestellen; pepperspray wordt gewoon op internet aangeboden. Twee minderjarige verkopers leverden me twee busjes af vlak voor het hoofdbureau van de politie Amsterdam. Ik vond het een opvallend detail, de jongens deerde het niet en de politiemensen hadden werkelijk geen idee wat er zich onder hun neus afspeelde.

Het waren duidelijk twee 'kleine handelaren'. Ik wilde weten of het mogelijk was een grotere deal te sluiten. Dat kon, bij een jongen die vrijwel dagelijks op internet adverteerde met pepperspray. Als Mark Ketelaars kon ik wel honderd potjes bij hem bestellen, voor 6 euro per stuk. Dat terwijl hij voor een busje los 8,98 euro vroeg. Ik kon de busjes bij hem thuis ophalen, in zijn flat in een grote stad in de Randstad. Hij zou ze zelf ophalen uit Duitsland. Uiteindelijk liet ik, nadat ik hem in zijn flat had opgezocht, de deal afketsen.

Andere veelvoorkomende wapens zijn messen. Het was een voor mij nog onbekende wereld waar ik in terechtkwam, maar al snel bleek dat het een uitgebreid circuit is waarin kennis van zaken van belang is. Als undercoverjournalist is het wel eens handig om je dom voor te doen, maar hier moest ik deskundig zijn. De namen van wapens moest ik uit mijn hoofd kennen. Dat was niet makkelijk. Messen, verstopt in pennen, hebben stoere namen als Guardfather Spike, Automatic Ice Pick of Defence James Bond-pen. Andere verboden messen als stiletto's, valmessen, vilmessen of vlindermessen hebben zoveel types dat het me moeite kostte alle *ins* en *outs* te onthouden. Maar voor elke afspraak die ik had met een messenhandelaar leerde ik de namen, types en prijzen die hij aanbood opnieuw uit mijn hoofd. Ik zeg 'hij', omdat ik in een jaar tijd geen enkele vrouwelijke wapenhandelaar ben tegenkomen.

Voordat ik op pad ging heb ik me ook verdiept in de wetgeving rond het bezit van messen. Voor een beginnend messenliefhebber lijkt het een ondoorzichtig geheel. De Wet wapens en munitie deelt wapens in vier categorieën in. Elke categorie heeft haar eigen regels en uitzonderingen. Zelfs verzamelaars, handelaren of liefhebbers die ik later sprak, wisten vaak niet zeker of iets wel of niet mocht.

Daarom besloot ik me in deze wereld uitsluitend te interesseren voor messen waarvan het zeker was dat ze streng verboden waren in ons land. En dat zijn er nogal wat. Zomaar een greep uit de lange lijst verboden wapens waarnaar ik op zoek kon: vilmessen, vlindermessen, stiletto's, werpsterren, ploertendoders en boksbeugels.

– De maximum straf voor het illegaal voorhanden hebben van een stiletto bedraagt drie maanden gevangenisstraf of een geldboete van € 4.500.
– De maximum straf voor het illegaal voorhanden hebben van een geweer bedraagt een gevangenisstraf van vier jaar of een geldboete van € 45.000.
– De maximum straf voor het beroepsmatig illegaal handelen in pistolen bedraagt acht jaar gevangenisstraf of een geldboete van € 45.000.
(Bron: Wet wapens en munitie.)

Opnieuw is internet mijn startpunt. Ik mail met handelaren, bekijk sites en laat me voorlichten. Ik reageer op advertenties waarin verboden messen worden aangeboden. Het eerste mes dat ik tegenkom is een *safekeeper*. Je kunt het niet opvouwen, het heft is zeer kort en staat haaks op het lemmet. Om het te gebruiken moet je het heft in de palm van je hand houden en het lemmet tussen de vingers door naar buiten laten steken. Niet voor niets een verboden wapen in ons land, maar deze man biedt het gewoon aan op internet. De man heeft ook werpmessen in de aanbieding en een Cold Steel T-lite.

Spiksplinternieuw mes in absolute nieuwstaat.

Blad AUS 8 staal en scheerscherp.

Handvat Titanium dus licht en beresterk.

Winkelprijs euro 280,-

Als Frank Lennard laat ik hem per mail doorschemeren interesse te hebben in een paar van zijn messen, waarop hij me terugmailt dat uit tests zou blijken dat 'de Cold Steel T-lite een zeer sterke *linerlock* en gigantisch penetratievermogen heeft' en grapt er nog bij dat de T-lite geen man is…

Als ik zeg dat ik ook wel geïnteresseerd ben in zo'n Ice Pick, geeft dezelfde man mij wat tips hoe ik deze zelf kan bestellen en het verboden mes Nederland kan binnensmokkelen.

Hallo Frank,

Laat het sturen als 'camping gear' met een waarde van $40.00. Stuur het met de reguliere post. Dan gaat het meestal wel goed. Als je slim bent, bestel je er twee. Uiteraard ook een voor mij.

Groeten!

Ik maak een afspraak, bij hem thuis. De man ontvangt me amicaal. Zijn vrouw is ook thuis en heeft koffiegezet. Tijd voor een 'koffiemoment' wil ik niet. Ik zeg dat ik graag direct de messen wil zien. De verkoper lacht en wijst naar de keukentafel, waar hij alle messen heeft uitgestald. Er ligt werkelijk van alles: werpmessen, een stiletto. Ik herken de – legale – Gerber ATS 34 van 50 euro. Hij pakt een werpmes op. 'Hij gooit voortreffelijk. Je moet het blad anderhalve centimeter doorsteken. En gewoon uitstappen. Tot vijf meter.' Hij doet het voor, maar houdt het mes in zijn hand. Dan zie ik een Kukri kapmes, met een lemmet van wel een halve meter. Met een soortgelijk mes is Theo van Gogh de keel doorgesneden. Opvallend genoeg is dit mes niet verboden in Nederland, omdat dit mes maar één snijkant heeft en in Nederland zijn messen, in het algemeen, alleen verboden als ze twee snijkanten hebben. Je mag dit mes wel in huis hebben, maar het niet vervoeren.

Ik had de verkoper beloofd een mes te kopen en koop het grootste: de Kukri. Met dit gigantische voorwerp loop ik – pas dan ben ik strafbaar – over straat, richting mijn auto. Het is donker en het steegje is klein. Ik zou daar iemand met een kapmes van meer dan een halve meter niet graag zijn tegengekomen.

Uit geluiden vanuit de scene leid ik af dat het illegale messencircuit zich uitbreidt. Veel jongeren hebben steekwapens op zak in het uitgaanscircuit en het mes wordt dagelijks in ons land als wapen ingezet. Maar er zijn in deze wereld ook veel liefhebbers en verzamelaars van al dan niet verboden messen. Bij een groot deel van deze mensen houdt het echter niet op bij een verzameling. Zij gaan hun boekje geregeld te buiten door de messen te verhandelen. Hoewel geen enkele wapendealer natuurlijk zit te wachten op een undercoverjournalist, had ik tot dusver niet het idee Russische roulette te spelen. Ik vertrouw volledig op de techniek. Soms laat ik in het midden wat ik met het mes wil doen. Veel verkopers maakt dat niets uit, zij verkopen hun wapens zonder daar een punt van te maken.

Ik leer op internet een andere messenhandelaar kennen. Hij handelt in *safekeepers*. Bij de advertentie staat een foto van een man met een *safekeeper* in de hand die er zeer agressief bij kijkt. Ik weet niet of de man op de foto de verkoper is, maar daar zal ik tijdens de afspraak vanzelf achterkomen. Niet alleen daarom ben ik geïnteresseerd. Het vilmes valt onder categorie A van de Wapenwet en is daarmee ten strengste verboden in ons land. Ik wil natuurlijk niet dat het per post bij mij terechtkomt, ik wil het ophalen. Alleen op die manier kan ik erachter komen hoe de vilmessen ons land binnenkomen.

For sale: Safekeepers II en III, los van elkaar te koop.
Prijzen: Safekeeper II 65 €
Safekeeper III 60 €
Prijzen incl. verzending

We hebben elkaar al meerdere keren gemaild en gebeld als ik naar hem toeloop op een parkeerplaats bij een McDonald's in het midden van Nederland. Hij heeft, als het goed is, de *safekeeper* op zak en ik heb de 60 euro bij me die hij ervoor wil hebben. Er spoken vooral twee vragen door mijn hoofd: Is het hem gelukt het mes Nederland binnen te krijgen? en: Zou hij mijn stem hebben herkend? Dat laatste kan natuurlijk altijd gebeuren. Het is eigenlijk voor het eerst dat ik me er op het moment zelf heel bewust van ben. Met dat gevoel ben ik niet blij. Het leidt af van mijn werk en boezemt me, terecht of onterecht, wat angst in. Meestal lukt het me goed dat gevoel uit te schakelen, nu is die twijfel sluimerend aanwezig.

Als ik hem de hand schud, is die twijfel gelukkig direct helemaal weg. Hij tovert tegelijkertijd een vriendelijke lach en een *safekeeper* tevoorschijn. Ik neem het mes van hem over en toon hem aan mijn collega. Eigenlijk laat ik het mes daarmee aan Nederland zien, want hij draagt, net als ik, een verborgen camera.

'Niet zo opzichtig,' zegt de verkoper.

'Keukenmessen mag je toch gewoon hebben in Nederland?' vraag ik onnozel.

'Maar dit is geen keukenmes, hoor.'

De verkoper blijkt een aardige, sympathieke jongen. Hij vertelt open en eerlijk hoe hij het mes heeft gekregen. 'De jongen bij wie ik het bestel, haalt ze uit Amerika. Hij bestelt cilinders voor machines. Hij gaat daar dan naartoe en stopt de messen in de cilinders. Deze worden niet uit elkaar gehaald en er zit een soort mantel van titanium omheen. Dat kunnen ze niet scannen. Als je dat vertelt aan iemand van de douane geloven ze dat toch niet. Maar het is wel zo.'

Ik moet het hem nageven. Het is een geslepen manier, zo geslepen als het mes dat hij voor mij ons land binnensmokkelde.

De verkoper vertelt me dat hij zich niet altijd even prettig voelt bij alle situaties. 'Vorige week had ik een afspraak met een Amsterdammer. Ik ben toen maar niet alleen gegaan. Hij ook niet. Ze kwamen met zes man en wilden veel messen. Het leek wel een slechte film. Voor hetzelfde geld hadden ze een verborgen camera meegenomen en sta je ineens bij Peter R. de Vries op de film.' Zou hij me doorhebben, schiet het door me heen. Hij kijkt er zeer ernstig bij en heeft zeker niet door dat hij wel degelijk door verborgen camera's wordt gefilmd. Al zijn het dan niet de camera's van Peter R. de Vries.

De interessantste messenhandelaar was buiten elke discussie de medewerker van het ministerie van Justitie. Corrupte ambtenaren op de korrel hebben is – hoe ernstig ook – smullen voor een journalist. De man is in feite heel sympathiek, hij handelt alleen in verboden wapens en daarom kan ik als journalist zijn verhaal niet in de prullenbak gooien. Het is mijn plicht dit Nederland te melden. Zoals politiemensen soms ook best aardige knullen aanhouden en rechters dezelfde jongens achter slot en grendel zetten.

Ik kwam met hem in contact omdat hij een illegaal vlindermes in de aanbieding had. Nadat ik interesse had getoond, mailde hij me dat hij veel meer messen voor me kon regelen.

Hallo Frank,

Ik kijk zelf voor goedkope messen in Europa altijd op een Duitse website. Dat is voor zover ik het kan zien in Europa de goedkoopste. Ik kan met de meeste messen onder hun prijs duiken, maar met de Peace Keeper zal het me niet lukken denk ik. De Duitsers bieden hem aan voor 76 Euro. Ik kan er iets onder gaan, maar dan heb je een langere levertijd. Met de Tai Pan heb je gezien dat ik er ongeveer

30 euro onder kan komen. Met de True Flight Throwers idem dito, de Duisters bieden deze aan voor 29 euro. Dat moet ik bijna alleen al betalen voor de verzendkosten van de leverancier. Ik aas zelf momenteel op een Black Bear Classic, tweedehands. Met een beetje mazzel krijg ik die goedkoop in handen en daar kan ik dan misschien een heel mooi prijsje van maken. Ik heb momenteel ook aardig wat leuke messen van SOG binnen, waaronder de Dessert Dagger, de Bowie II en binnenkort de Seal 2000. Laat het me maar horen.

Groeten

Toen ik dat mailtje ontving, wist ik nog niet dat hij bij het ministerie van Justitie werkte. Daar kom ik pas achter toen hij me belde om een afspraak af te zeggen. Via de mail hebben we afgesproken dat ik het mes op zijn werk zal ophalen. Hoewel hij dit vlindermes die ochtend heeft meegenomen naar zijn werk, bedenkt hij zich. Aan de telefoon legt hij me uit waarom: 'Op het moment dat we messen in een auto met elkaar verhandelen zijn we beiden strafbaar. Aangezien ik voor Justitie werk, lijkt me dat niet echt een handige zet. In principe moet ik me daar in ieder geval buiten strafbare dingen houden.'

We spreken daarna bij hem thuis af, want dan zouden we allebei niet strafbaar zijn, volgens hem. Maar dat geldt natuurlijk niet als je illegale messen verhandelt, zoals hij doet. Die wet zou ook hij moeten kennen. Bovendien had hij tijdens de landelijke inleveractie van slag- of steekwapens in 1999 besloten zijn vlindermes niet in te leveren. Destijds kon dat anoniem en zonder strafvervolging. Nu wilde hij ditzelfde vlindermes, in 2006, alsnog aan mij verkopen en kon hij de gevolgen niet overzien.

Hij laat me thuis zijn assortiment messen zien en ik besluit geen van de messen te kopen. Ook het illegale vlindermes koop ik niet. Ik heb hem per slot van rekening al horen zeggen dat hij het wil verkopen, de koop op zich voegt hier journalistiek gezien niets aan toe. Overigens zou elke rechter hem als verkoper een hogere straf geven dan mij als koper. Dit heeft te maken met de winst die hij maakt en de risico's die er aan de verkoop zitten.

Na de ontmoeting houden we per mail contact. In de laatste mail biedt hij me aan een vlindermes uit Amerika te laten komen. Het gaat om een Cold Steel, Arc Angel. Deze zijn aan twee kanten geslepen en zijn daarom in ons land verboden. Ook dat weet hij maar al te goed, getuige zijn mail. Hij schrijft mij:

'Volgens mij zit het zo, de modellen die door Cold Steel verscheept worden naar sommige Europese landen hebben een valse snijkant. Tenminste, ik heb een model uit Zweden gezien met een scherpe kant en een stompe kant. Koop je er hier dus één, dan heeft die een valse snijkant, haal je hem uit Amerika dan weer twee. Ik kan er aankomen voor 70 Euro. Ik haal hem dan wel uit Amerika, dus met 2 zijkanten. Er bestaat een kans dat hij dan in beslag wordt genomen door de douane, maar ik denk het niet. Ik heb een aantal adressen die niks op de pakjes zetten. De levertijd is ongeveer een dikke drie weken. Lijkt het je wat maak je het bedrag over naar mijn bankrekeningnummer en dan bestel ik hem.'

Dat lijkt me wel wat: een medewerker van Justitie die voor mij een verboden mes ons land in probeerde te krijgen. In plaats van dat ik het bedrag overmaak, probeer ik hem opnieuw te ontmoeten. In tegenstelling tot de vorige keer wil hij nu wel op het werk afspreken. Ditmaal om het geld te krijgen. Dan vraagt hij ook voor het eerst wat ik voor werk doe.

'Ik zit in de ww. Ik doe van alles wat,' zeg ik.

Dan zegt hij dat er bij Justitie volgens hem vacatures vrijkomen. 'Bij de overheid werken is fantastisch, jongen. Als ze hier inkrimpen, word je zo overgeplaatst naar de Belastingdienst of zo.'

'Op het moment dat we messen in een auto met elkaar verhandelen zijn we beiden strafbaar. Aangezien ik voor Justitie werk, lijkt me dat niet echt een handige zet. In principe moet ik me daar in ieder geval buiten strafbare dingen houden.'

Hij meldt me dat hij deze avond nog het mes gaat bestellen. 'Ik heb het doorgaans binnen drie weken binnen. We houden contact.'

'Dank en werk ze.'

Enkele weken later is het mes daadwerkelijk binnengekomen. En wat hij tijdens onze eerste ontmoeting een probleem vond, blijkt nu geen enkel bezwaar. Ik kan het mes komen halen op de stoep van zijn werkgever. Hij komt er speciaal voor naar beneden gelopen en legt zijn werkzaamheden voor Justitie even opzij. 'De messen zijn gewoon bij mijn leverancier thuis aangekomen. Geen probleem. Ze zijn niet opengemaakt door de douane. Ook mijn Bowie Knife zat er bij in. Er bestaat altijd een kans dat het mes wordt ingenomen, maar nu ging het goed. Ik doe het regelmatig. Dan zeg ik: zet er maar dit of dat op. Een *garden tool* of een *second hand*. En dan doet hij dat gewoon. Ik heb nu drie keer wat besteld en er wordt niks opengemaakt. De douane krijgt zo godsgruwelijk veel binnen, iedere dag weer. Ze hebben niet genoeg tijd en kunnen niet alles controleren. Mocht je ooit nog eens andere zaakjes hebben...'

Ik: 'Dan weet ik je te vinden.'

Daarna blijft hij contact met me houden. In een van de telefoontjes zegt hij: 'Ik heb weer een andere tussenpersoon weten op te snorren. Hij stuurt me binnenkort een catalogus met alle merken en types. Ik kan aan zo'n beetje alles komen wat er te krijgen is.' Daarmee was hij voor mij een groothandelaar in verboden messen geworden. Precies zo vertelde ik het ook in de uitzending over verboden wapens in ons land.

Maanden na de uitzending ontmoette ik hem opnieuw. Hij had me gedaagd voor de Raad voor de Journalistiek en had tientallen punten van bezwaar. Met name het gebruik van de verborgen camera stelde hij ter discussie. Gelukkig besloot de Raad dat het maatschappelijk belang groot genoeg was voor heimelijk filmen. Wel haalde hij op twee punten zijn gelijk. Ik had niet mogen laten zien in welk gebouw hij werkte van het ministerie van Justitie en ik had een oude trouwfoto moeten *wipen*. Op alle andere punten kreeg ik gelukkig de Raad aan mijn zijde. Tijdens de ontmoeting voor de Raad voor de Journalistiek hebben we elkaar even aangekeken. Meer was het niet. We wisten allebei dat ik geen Frank Lennard heette, dat ik niet in de ww zat en dat hij inmiddels door zijn werkgever op non-actief was gesteld.

'Ik doe het regelmatig. Dan zeg ik: Zet er maar dit of dat op. Een *garden tool* of een *second hand*. En dan doet hij dat gewoon.'

Na de uitspraak van de Raad staat nog altijd de ernst van zijn daad niet ter discussie. Ook voor hen was de man een medewerker van Justitie die handelde in verboden wapens en deze zelfs voor mij ons land binnensmokkelde.

Undercover door Nederland, op zoek naar wapens, leverde me nog meer smokkelnieuws op. Zo vertelde een student op zijn kamer vol zwaarden en messen hoe hij stiletto's ons land binnen krijgt. Als stiletto's volautomatisch zijn, zijn ze verboden. 'Ze worden gemaakt in Taiwan en worden daarna verscheept naar Hongkong. In kleine pakketjes gaan ze er meestal wel doorheen.' Hij heeft als student een aardige bijverdienste met de smokkel van deze messen. Een andere verkoper vertelde me in een doorsnee woning dat boksbeugels ons land binnenkomen onder de noemer van *presse-papier*, een gewicht dat ervoor zorgt dat papieren niet wegwaaien. De man meldt me in 'zijn magazijn' dat ik ook bij hem allerlei verboden messen kan bestellen die hij vooral uit Amerika laat komen.

Naar aanleiding van de uitzending vroeg ik de douane om een reactie. Die kreeg ik. Schriftelijk.

'De Douane probeert verboden messen (wapens) uiteraard te onderscheppen. Het is niet mogelijk om elk pakketje te controleren. Tijdens controles wordt gebruikgemaakt van scans, honden en het uitpakken van pakketjes. Dat zijn dan zendingen waar de grootste risico's liggen. Honderd procent controle is onmogelijk en zal leiden tot grote logistieke problemen.'

Smokkel is zo'n woord waarbij je meteen allerlei beelden op je netvlies krijgt: volgestouwde kisten op vrachtschepen, dubbelwandige tassen met kilo's heroïne of andere ingenieuze vindingen. Maar bij smokkel van illegale messen gaat er meestal niet zoveel voorbereiding aan vooraf. Het zijn pakketjes waarop aan de buitenkant iets anders staat dan er daadwerkelijk in zit. Of het zit weggestopt in apparatuur. Voordat de douane dat allemaal uit elkaar moet halen, zijn ze dagen verder. Wapens komen veel makkelijker ons land binnen dan drugs.

Ook in de maanden dat ik onderzoek deed naar de illegale messenwereld in Nederland smokkelden dealers van alles. De messen werden door de mij bekende handelaren weggestopt in cilinders, of verpakt als tuingereedschap of campinguitrusting. De messen kwamen uit Japan, Engeland, Italië, Hongkong en Amerika. Ze kwamen allemaal aan.

KINDERPROSTITUTIE IN NEDERLAND

Ik wist dat kinderprostitutie in Nederland bestond, maar niet hoe het eruitzag. Het recentste veldonderzoek stamde uit eind jaren negentig. De conclusie luidde: in ons land werken zo'n drieduizend kinderen als prostituee. Ik schrok daarvan. Als dat waar was, waar waren ze dan? Hoeveel volwassenen maakten hiervan gebruik? En hoe zou de situatie er nu uitzien, in een tijd waarin internet de wereld had veranderd? Ik ging undercover op onderzoek. Als pooier en als pedofiel.

De feiten die ik in dat jaar naar boven haalde, vind ik zelf nog steeds moeilijk te bevatten. Zelfs basisschoolkinderen worden geronseld voor de seksindustrie en deze kinderen vallen in handen van georganiseerde netwerken, die hen misbruiken en exploiteren.

Ik zal nooit vergeten hoe ik als zogenaamde pooier in een loods terechtkwam met duizenden dvd's en videobanden, waaronder kinderporno. Het bedrijf groeide als kool en zette in totaal acht ton per jaar om. De eigenaar leidde mij rond. Ik was er omdat ik 'mijn vijftienjarige prostituee' in de aanbieding had. Ik wist door een tip die ik had gekregen dat deze man bemiddelde in jonge jongetjes voor de porno-industrie. Hij sjoemelde met leeftijden. Ook 'mijn jongen' kon volgens hem zonder probleem meespelen in pornofilms. Hij gaf me twee kinderpornovideo's cadeau toen we afscheid namen. Op de redactie heb ik – kort – deze banden bekeken. Ik moest zeker weten dat hij handelde in porno met minderjarige acteurs. Het waren walgelijke beelden van jonge jongetjes die seks hadden met elkaar op bed. Daarna heb ik de banden in het dossier kinderprostitutie gestopt.

Ik startte mijn onderzoek op straat. Ik liep op plekken die bekendstonden als 'oppikplaats'. In Amsterdam bijvoorbeeld in de hal van het Centraal Station. Ik zocht naar jonge Marokkaanse jongens die hun seksuele diensten zouden aanbieden aan oudere mannen, dat was tenminste wat ik letterlijk bij de kapper had gehoord. Ze zouden je als man zomaar aanspreken. Ik hing er een week lang iedere avond rond, zonder resultaat. Dat bewees echter niets, want er zijn wel degelijk duizenden kinderen in de seksindustrie actief. Zij werken vooral in achterkamertjes, met een escortbureau of pooier als tussenpersoon. Niet de straat, maar internet is hun werkterrein. Daar ontstaan de afspraken uit het zicht van politie, instanties en ouders.

Op erotisch getinte sites voor jongens en meisjes, op jongerenforums en op chatsites kunnen pooiers en kinderpornohandelaren vrij opereren. De gesprekken die ik er met hen voerde waren schokkend en schetsten een beeld van hun weerzinwekkende denkwereld. Ik moest voorzichtig aftasten en langzaamaan vertrouwen winnen. Iedereen gebruikte schuilnamen. Bij iedere fout stond mijn geloofwaardigheid op het spel. Infiltreren in de wereld van de kinderprostitutie door me op internet voor te doen als kind of als pedofiel werkte vaak prima, maar soms ook niet. Dan had ik via het web met iemand afgesproken en wachtte ik tevergeefs.

Eenmaal bijvoorbeeld op een pooier op het Leidseplein. Hij reed in een BMW en zei pooier te zijn van een 16-jarig en een 13-jarig meisje, iets wat ik niet kon controleren. Hij kwam niet opdagen. Ik kon hem ook niet bellen. *Sletje*, zijn bijnaam op internet, wilde zijn 06-nummer niet geven. Misschien omdat hij als pooier niet werkelijk bestond, misschien omdat hij het niet aandurfde of misschien was hij er wel maar vertrouwde hij de situatie niet. Ik leerde vervolgens de terminologie beter kennen.

Ik sprak over *paydates*, klikte profielen aan en las hoe kinderen, tieners zich aanboden als *sextool*. Ik chatte met deze kids. Als pedo. In werkelijkheid zat aan de andere kant vaak een pooier met mij te praten. Ze deden er alles aan mij warm te maken voor 'hun kids'. Dezelfde pooiers probeerden op deze en andere sites de aanwezige jongeren op slinkse wijze te interesseren 'een keer op date te gaan'. Met geld als lokaas. Een pooier uit Arnhem die namens een escortbureau jongeren ronselde, vertelde me dat hij op www.tmf.nl opereerde.

Zo zijn er veel minderjarige jongetjes die op sites staan, met leeftijd, seksuele voorkeuren en e-mailadres. Een kort gesprek via MSN of e-mail is voldoende om een ontmoeting te regelen met deze kinderen. Een kindprostituee die ik undercover als klant ontmoette, vertelde me dat hij een jaar eerder ook op internet door een pooier was geronseld. Zijn profiel, met pasfoto, vond ik op een digitale ontmoetingsplaats voor jongeren. Ik kon hier met hem chatten en een afspraak maken. Ik sprak hem op het stationsplein van Helmond. Hij had het contact met de pooier verbroken en opereerde zelfstandig... zelfstandig als prostituee. De afspraak had iets dieptreurigs. Ik, in een dure zwarte leasebak, met creditcard, aktetas achterin zogenaamd op weg naar een zakendiner. Hij, op de fiets, zonder geld, van school op weg naar het avondeten thuis.

De jongen had het afgelopen jaar gemerkt dat er in weinig tijd veel geld te verdienen was. Hij vond de afspraakjes niet leuk, maar verkoos het geld boven zijn weerzin tegen seks met een oudere man. Op het moment dat hij bij mij in de auto zat, vroeg ik me af in hoeverre zijn keus was ingegeven door geld-problemen. Duidelijk was dat hij de seksafspraakjes 'niet leuk vond'. Ik sprak lang met hem in de auto. Ik wilde alles weten. Waarom deed hij dit? Hoe reageerden mannen? Wat voor mannen waren het? Wisten zijn ouders hiervan? Hoe gedroeg de pooier zich?

De jongen sprak openhartig, zei meestal niet te praten met klanten. 'De mannen willen maar één ding. Soms hebben ze hele rare wensen.' Ik vond het verschrikkelijk. Voor hem in de eerste plaats. Maar ook verschrikkelijk dat het de pooier blijkbaar is gelukt hem de seksindustrie in te krijgen, dat er genoeg klanten zijn die het wetboek en de geldende normen en waarden terzijde leggen en toch gewoon seks met deze minderjarige jongen willen hebben. Het lange gesprek gebruikte ik als smoes nu geen seks met hem te hebben: ik moest zogenaamd op tijd zijn voor het zakendiner. Hoewel hij zelf aangaf aan *paydates* – betaalde seksafspraakjes – te doen, reageerde hij opgelucht op mijn afwijzing.

Na de tweede uitzending over kinderprostitutie in Nederland kreeg ik een mailtje van de jongen. Hij bedankte me en zei dat hij 'genezen' was. Zijn mail maakte duidelijk dat hij helemaal niet zelf koos voor de prostitutie, dat hij dit leven niet werkelijk wilde. Hij was gehersenspoeld door een man die grof geld aan hem verdiende. Na de uitzending had hij pas de moed aangifte te doen tegen de pooier. De zedenpolitie had hem daarbij goed geholpen, vertelde hij.

Pooiers houden van drogredenen. Zoals 'dat de seks wel meevalt' of 'er niets gemeens aan is dat zolang je het zelf wilt'. Er zijn altijd jongeren die deze gladde praatjes geloven. Voor ze erg in hebben, werken ze in de prostitutie. Kinderen hebben natuurlijk hun eigen redenen zich te laten overhalen. Soms vinden ze de aandacht prettig of durven ze geen nee te zeggen. Ik heb eens een jongen van 16 jaar gesproken die zijn geldproblemen met een seksafspraak wilde oplossen. Voor een paar honderd euro zou ik, als pedo, 'alles met hem mogen doen', zolang hij de hoge telefoonkosten aan zijn moeder maar kon betalen. Anders zou hij door zijn moeder uit huis worden gezet, zei hij. Kinderen met problemen zijn blijkbaar gewillige slachtoffers.

In de periode van het onderzoek heb ik gevloekt en gescholden. Hoe halen pedo's het in vredesnaam in hun hoofd deze kinderen te misbruiken? Waarom willen pooiers zo veel geld verdienen over de rug van naïeve kinderen? Eénmaal heb ik erom gehuild, toen ik thuiszat na mijn ontmoeting met de Laptopman. Hij had zelf naaktfoto's gemaakt van kinderen van 11 en 12 jaar oud en verkocht mij de dvd. Die avond knapte er iets. Ik reed naar huis, wilde achter de computer zitten om mijn mail te checken, maar kon het niet. Ik ben in bed gaan liggen en heb gejankt om zoveel wreedheid. Tranen van woede en verdriet.

Maar ik was ook vastberaden. Ik had een enorme behoefte mijn ervaringen met Nederland te delen. Hoe kon het zijn dat ik een jaar in deze wereld aan het wroeten was en niet één agent was tegengekomen? Ik had zelfs, soms na één druk op de knop, een afspraak met een kinderpornohandelaar, een pedofiel of een kinderpooier. Hun leek geen strobreed in de weg te worden gelegd.

Om mijn bevindingen breed te delen had ik een persconferentie belegd – de eerste in mijn leven – in restaurant Panama in Amsterdam. Ik toonde de media eerst de uitzending. Zij zagen dat kinderporno via internet eenvoudig te koop is, dat kinderen meespelen in pornofilms, dat pooiers kinderen ronselen via internet, dat pooiers en escortbureaus keihard ja zeiden op mijn aanbod om minderjarige jongetjes in te zetten als prostituee, dat jongetjes met tegenzin seks hebben, dat ouders hun kinderen aanbieden aan een pooier en dat dezelfde pooier kinderen uit Tsjechië smokkelde om hen hier te laten werken.

Het nieuws sloeg in de perszaal gelukkig in als een bom.

Daarna verwoordde ik zorgvuldig hoe ik mijn veldonderzoek had verricht en deelde ik mijn ervaringen met mijn collegajournalisten. Theo Noten, woordvoerder van Ecpat, een organisatie die zich inzet tegen seksuele uitbuiting van kinderen wereldwijd, was door SBS 6 als spreker uitgenodigd. Hij had de uitzending nog niet eerder gezien en verklaarde 'geschokt' en 'verdrietig' te zijn.

Het ANP maakte er diezelfde dag een nieuwsbericht van. Die avond zag ik dat *Actienieuws* en *Hart van Nederland* openden met de onthulling waardoor miljoenen Nederlanders in één keer van het probleem op de hoogte waren. De volgende dag deden kranten er een schep bovenop en in de dagen erna besteedden radiostations, tijdschriften en tv-programma's ruim aandacht aan het onderwerp.

Na de uitzending bleef de publiciteit en de verbazing over de feiten groot. *Volkskrant*-journalist Wim de Jong schreef in zijn column dat hij de aflevering had ervaren als een 'snoeiharde reportage over kinderporno via internet en kinderprostitutie op straat'. Volgens hem 'nauwelijks te bevatten, die beelden en feiten in *Undercover*'. In die weken mocht ik bij *Jensen* op RTL5 en bij de *TROS TV-show* met presentator Reinout Oerlemans over de onthullingen praten. Ik zat bij *Barend & Van Dorp* aan tafel. Ook VVD-kamerlid Bibi de Vries was daar. Ze keek naar de beelden en stelde me de vraag waarom ik geen aangifte deed. Ik legde uit dat ik journalist ben en dat ik dat niet als mijn taak zie. Ze bleef erop doorhameren. Op de terugweg ontvlamde mijn verbazing pas echt. Ze had met geen woord gerept over de controles, over hoe met deze informatie omgegaan moest worden, wat zij kon doen in de politiek. Alleen maar dat verwijt. Zonder het programma hadden we het niet geweten, zonder *Undercover in Nederland* was het onderwerp niet eens ter sprake gekomen! Ik hoopte ermee te bereiken dat politici het probleem zouden oppakken, maar Bibi de Vries begreep daar die avond niets van. Op de terugweg baalde ik ervan dat ik haar ter plekke niet op haar nummer had gezet; ik was werkelijk overdonderd door haar opstelling. Ik hoop dat zij op haar terugweg net zo dacht over haar eigen optreden.

In de week daarna, voorafgaand aan de tweede aflevering, liep ik rond op het Binnenhof in Den Haag. Ik sprak met politici van nagenoeg alle partijen. Ik proefde veel eensgezindheid. Ze waren verbaasd dat dit in ons land gebeurt en pleitten voor scherpere politiecontroles, ook op internet. En nagenoeg alle partijen wilden het onderwerp kinderprostitutie in Nederland hoger op de politieke agenda.

De maanden na de uitzending is er door politie-eenheden meer mankracht en energie gestopt in het aanpakken van het probleem. De beelden van de uitzending worden nu gebruikt door de politieacademie. Studenten en docenten zullen er lering uit trekken. Mooi vind ik dat... Eigen politieonderzoek naar aanleiding van de uitzending leidde zelfs tot de arrestatie van de kinderpooier uit Arnhem die mogelijk lid is van een criminele bende die kinderen ronselt voor de seksindustrie. Er volgden nog twee arrestaties in die zaak, die inmiddels uitdijde als een olievlek.

Het gesprek met de pooier op het terras in Arnhem lijkt dus te zorgen voor de ontmanteling van een kinderprostitutienetwerk.

Op straat krijg ik nog steeds heftige reacties. Veel mensen kunnen moeilijk bevatten wat ze gezien hebben. Een week na de uitzending van het eerste deel van 'kinderprostitutie in Nederland' werd ik bij een benzinepomp langs de A6 aangeklampt door een vrouw. Ze was zeer emotioneel en zei dat het heel belangrijk was wat ik had gedaan. 'Dat die schoften het voortaan uit hun hoofd laten aan onze kinderen te zitten. Goed dat iedereen het nu weet. Bedankt.' Haar reactie raakte me diep. Het resultaat van de uitzending was ineens zo tastbaar. Ik besefte tegelijk dat het echte werk nu pas begint voor de duizenden kinderen die seksueel misbruikt worden. Instanties en de politiek keken mee naar de uitzendingen. Ouders keken mee. Pedofielen keken mee. Ik hoop dat het structureel iets teweegbrengt in ons land.

Laptopman

Het is een druilerige avond. Over Zwolle hangt een donkere deken. Ik ben zenuwachtig, ik heb sterk het gevoel dat ik op het punt sta een wereld in te stappen waar je doorgaans zo ver mogelijk bij vandaan wilt blijven: de verderfelijke wereld van de kinderprostitutie. Het extra nerveuze gevoel komt niet eens zozeer vanwege de afspraak – ik spreek de laatste jaren wel meer vreemde vogels – nee, het is het gevoel ergens te infiltreren waar dat tot op heden nog niet gebeurd is. Ik heb geen idee wat ik aan zal treffen.

Mijn verhaal is even simpel als verschrikkelijk. Ik doe me voor als een pedoseksueel. Iemand die het niet alleen bij een voorkeur voor jonge jongetjes houdt, maar het ook in praktijk wil brengen. Ik heb een afspraak met een man die ik al maanden probeer te ontmoeten. Ik ken hem alleen van chatsessies op internet en van een paar telefoontjes die ik met hem had gepleegd. Zou zijn verhaal kloppen? Zouden zulke wrede mensen echt bestaan?

Op internet heb ik zijn vertrouwen gewonnen. Om dat te realiseren, moest ik me voordoen als klant voor zijn jonge jongetjes. Wat vreselijk! De gesprekken die ik op internet met hem heb gevoerd, moesten tot een afspraak met hem leiden. Ik wilde zijn weerzinwekkende verhaal uit zijn mond horen, *face to face*. Soms chatten we heel eventjes, dan weer spraken we hele dagen met elkaar achter onze computers.

Ik had meerdere chatsessies nodig om hem uiteindelijk, na maanden digitaal contact, in zijn auto zijn afgrijselijke verhaal te laten doen. Op een homochatsite deed ik me tijdens de eerste chat voor als Mylko. Ik was, zoals veel bezoekers van deze homosites, op zoek naar jonge jongetjes. Hij gebruikte ook een *nickname*. Ik noem hem hier Jan (gefingeerd).

mylko zegt: hoi
Jan zegt: hallow

Jan zegt: hier lekker giel

Jan zegt: geil

mylko zegt: ik ook

Jan zegt: mooi zo

Jan zegt: zin om een date af te spreken voor vandaag

mylko zegt: hoe oud ben je?

Jan zegt: 20

Jan zegt: ik moet eigenlijk 19 zeggen maar boeie

Ik denk te maken te hebben met een prostituee van 19 of 20 jaar. Tijdens onze ontmoeting, maanden later in zijn auto, zal blijken dat hij de 30 al gepasseerd is.

mylko zegt: oei, ik zoek ze liever wat jonger

mylko zegt: 15 16, hihi

Jan zegt: kan alleen in het weekend

Jan zegt: mooie exclusieve prijzen. en wacht lijst

mylko zegt: kom maar op!

mylko zegt: hoe oud?

Jan zegt: vanaf 15

mylko zegt: hoe duur?

Jan zegt: 500 per uur. erg leuk gozertje. wil nog vanalles ontdekken en leren. wasbordje !! beschikbaar bij betaling vooraf. je op wachtlijst. ca 2 week

Jan zegt: maar dat snap je hoop ik

mylko zegt: da's wel duur maar heb wel interesse

Jan zegt: is erg gewild nu

Jan zegt: nog maar 2 week in dienst

mylko zegt: fotootje?

Ik krijg een fotootje van een jong jongetje opgestuurd. Ik vind 15 aan de oude kant – ik zou hem eerder 14, of misschien zelfs 13, schatten. Het is een klein, tenger jochie. Hij poseert in de woonkamer, bij zijn ouders, zo lijkt het. Het jongetje herken ik later in een fotoserie die hij mij laat zien op zijn laptop tijdens onze ontmoeting.

Jan zegt: eigenlijk moet ik je geld vragen voor zo'n lekker hihi
mylko zegt: hihi je hebt gelijk
mylko zegt: maar hoe gaat het in z'n werk, betaling enzo? kan ik hem bellen voor een afspraak?
Jan zegt: dat kan in het weekend. school snap je
mylko zegt: ja snap ik
mylko zegt: wanneer moet ik bellen dan?
Jan zegt: dan noem je dagen dat je kan
Jan zegt: plannen wij hem in
Jan zegt: zaterdag. bel dan maar
mylko zegt: okay

Hij geeft me het telefoonnummer van de chauffeur van het jongetje.

Jan zegt: wordt bij je thuis gebracht
mylko zegt: bij aflevering betalen dus?
Jan zegt: vooraf. via bank of vooraf bij afspreken
mylko zegt: wat heb je nog meer in de aanbieding, nog groener?
Jan zegt: nee jonger camt alleen nog
Jan zegt: 14jr
Jan zegt: is nog niet aan escort toe vind ie zelf hij camt alleen nog
mylko zegt: snap ik, maar hij mag ook best langskomen hoor

Ik walg van mijn eigen taalgebruik. Ik, een volwassen man van 34 jaar, roep openlijk op internet dat ik met een jongetje van 14 jaar naar bed wil. Ik nodig het jochie uit om bij me thuis te komen, toch min of meer tegen zijn wil. Stiekem hoop ik dat 'Jan' een politieagent is die mij undercover in de val lokt. Die hoop blijkt ijdel. Op internet kom ik in al die jaren dat ik pooiers en kindprostituees spreek – waarbij ik streng verboden, afgrijselijke taal uitkraam – geen politieman of -vrouw tegen. Geen cyberagent of sitebewaker die ingrijpt.

mylko zegt: maar voor komende zaterdag zit je al vol?

Jan zegt: voor die jonge gozertjes wel

mylko zegt: heb je meerdere?

Jan zegt: kunnen alleen in het weekend

Jan zegt: ook nog eentje van 19 die kan bijna altijd

Jan zegt: met hem speel ik zelf het vaakst

mylko zegt: boef!

Jan zegt: had ook liever die jonger maar die zijn te druk nog even helaas. maar echt lekker. paar x zuigen dan hou ik het niet meer en ik al haha

mylko zegt: dat zal wel ja!

mylko zegt: die knul van 15, wat doet ie wel en wat niet?

Jan zegt: beetje pijpen. neuken. als je niet te groot bent kan je hem neuken

mylko zegt: okay! moet lukken

Ik vloek als ik dit tik. Een aantal collega's leest mee. Het is stil in de redactieruimte.

mylko zegt: werken jullie vanuit groningen?

Jan zegt: nee vanuit heel nederland

mylko zegt: ah okay, kan ik alvast een optie droppen?

Jan zegt: doe maar

Jan zegt: heb je ook ff gegevens dan voor me

mylko zegt: zo snel mogelijk

Jan zegt: dan noteer ik dat ook gelijk

Jan zegt: is goed

Jan zegt: wacht niet te snel anders moet je nog langer wachten

mylko zegt: wanneer is het eerste weekend dat kan?

mylko zegt: en hoe laat?

Jan zegt: 21/22/23 oktober is nog wel ergens plek zo wie zo

Jan zegt: als je sneller wilt kan je bieden evt
mylko zegt: nu zaterdag dan?
Jan zegt: doe een heeeel goed bod
mylko zegt: 525
Jan zegt: nee joh ik hoop dat je dat minstens aan fooi geeft aan
                     zo'n lekker knulletje.. echt.

Opnieuw krijg ik een erotische foto van een jong jongetje opgestuurd. Deze is nog jonger. Hij lijkt een brugklasser.

mylko zegt: mmmmm
Jan zegt: ik vind hem zelf zo erg geil ook
mylko zegt: zal ik je anders volgende week ofzo even bellen voor een
                     definitieve afspraak?
Jan zegt: oke is goed
mylko zegt: trouwens, wat heb je nog meer onder 18 zeg maar?
Jan zegt: voor escort
Jan zegt: maagdelijk lekker
mylko zegt: die van 14 wil ik ook wel
Jan zegt: na 1x met een van onze boys afgesproken te hebben
                     krijg je een website naam waar je kan kopen. kijken. en
                     live
mylko zegt: oh zo!
Jan zegt: hou maar contact via hier oke
Jan zegt: ff voor het vertrouwde gevoel snap je
mylko zegt: je bent de eerste die msn vertrouwder vindt, maar okay
Jan zegt: nou voor eerst even
Jan zegt: dan bellen
mylko zegt: ja precies, geen probleem!
Jan zegt: ik spreek eerst met je af voor date op de dag zelf
mylko zegt: wil mijn nummer ook best geven tzt
Jan zegt: laat maar weten ik ga nu verder
mylko zegt: is goed, ik ook! bedankt voor de info en we spreken!

Een paar dagen later spreek ik hem opnieuw via dezelfde site. Ik kots om mijn eigen teksten, maar ik moet hiermee doorgaan. Het is de enige kans in deze wereld te infiltreren. Ik moet me zo geloofwaardig mogelijk voordoen als klant. Door op deze site met anderen te chatten leer ik hun taaltje. Hoe praten zij? Hoe direct moet je zijn? Ondertussen heb ik hem zijn e-mailadres ontfutseld. Ik heb hem daarop direct gemaild en de afspraak voor 29 oktober bevestigd. Plotseling is hij voorzichtiger. Daar waar ik dacht zomaar met hem – of met een van zijn jongetjes – te kunnen afspreken, houdt hij nu veel meer de boot af.

mylko zegt: hoi hoi, had je mijn mailtje nog ontvangen?

Jan zegt: hallow

Jan zegt: ff kijken

mylko zegt: voor 29 okt

Jan zegt: ja ontvangen

mylko zegt: en is dat mogelijk?

Jan zegt: je moet eerst daten met een ouder iemand

mylko zegt: waarom??

Jan zegt: veiligheid. als je eerst date met een andere jongen. weten wij dat jij geen problemen levert

Jan zegt: t ging namelijk bijna mis deze week

mylko zegt: wat dan joh?

Jan zegt: nou een gast had een afspraak met die jonge. toen we er waren ging ie lopen zeuren dat het niet mocht en dat hij wel ff er wat aan zou gaan doen

mylko zegt: vechtersbaasje dus

mylko zegt: maar ik wil jou eerst ook wel even ontmoeten hoor als dat het probleem is

Jan zegt: ontmoeten is niet genoeg. kan je nog steeds verkeerde bedoelingen hebben. als je een escort heb gehad van ons. ben je geen politie in elk geval haha

mylko zegt: oh zo

mylko zegt: ik snap je voorzichtigheid

Jan zegt: ik denk die van 19 het lekkerste voor jou

Jan zegt: die van 17 is wat dikkig

mylko zegt: vind ik niet zo heel erg, prijs?

Jan zegt: 150

mylko zegt: foto?

Jan zegt: moet ik ff kijken die staan nog vers op me digi cam

Jan zegt: maar moet ff het kabeltje zoeken

Jan zegt: die jongens maken altijd alles kwijt hier

mylko zegt: billenkoek

Jan zegt: ja precies help me daar maar mee hehe

mylko zegt: en die van 15?

Jan zegt: die was net vrij. ik haal hem zo van z'n huis vanmiddag

mylko zegt: ik wil hem ook wel ophalen, hihi

Jan zegt: den bosch

mylko zegt: ach, heb het er wel voor over

Jan zegt: geilerd

Jan zegt: wordt eerst maar es klant schat

mylko zegt: ja, ik heb een bestelling geplaatst, maar jij doet moeilijk

Jan zegt: tja sorry

Jan zegt: graag of niet zeg maar

mylko zegt: ik wil die 15 jarige

Jan zegt: als we je kennen

Jan zegt: we moeten voorzichtig doen snappie

mylko zegt: daarom zeg ik, eerst even bakkie doen ergens, geen
             probleem

Jan zegt: bakkie is niet genoeg. kan ook een bakkie doen met een
             cop

mylko zegt: ja maar, ik betaal 500 euro en moet ook nog eens 150
             voor iemand betalen die ik eigenlijk al te oud vind,
             daarom zoek ik andere manier om je te overtuigen dat ik
             wel handboeien thuis heb maar geen cop ben

Jan zegt: tja sorry van mij mocht het maar t kan niet meer

mylko zegt: ik snap het

mylko zegt: en die 17?

Jan zegt: heb ik samen met die van 19 fotos van maar staan op cam

Jan zegt: moet eerst ff vragen waar dat kabeltje is.

Jan zegt: hij is douchen nu ff

mylko zegt: net klantje gehad, hihi

Jan zegt: ja

mylko zegt: goed bezig

Jan zegt: maar jij ook vandaag toch

mylko zegt: heb vanmiddag vrij ja

mylko zegt: zal ik je anders zo even bellen?

Jan zegt: ja dat mag

mylko zegt: heb je nummer wel ergens maar geef nog even

De pooier geeft hetzelfde nummer. Nu is het niet van de chauffeur, maar van hemzelf.

mylko zegt: ok

mylko zegt: hoe laat kan ik je bellen?

Jan zegt: altijd

mylko zegt: okay

mylko zegt: bel ik je zo even

Ik bel hem vervolgens en maak via hem een afspraak met een 15-jarige jongen. We spreken af in Groningen, op het Centraal Station. Ik wacht tevergeefs; de jongen komt niet opdagen. Hoe goed we ook zijn voorbereid, hoe betrouwbaar ik via mails en via mijn webcam ook ben overgekomen, deze pooier is duidelijk op zijn hoede. Blijkbaar gelooft hij mij nog niet helemaal. Overigens zit ik uiteraard vermomd voor de webcam, met zwart haar en een bril, maar het zal nog maanden duren voordat ik deze kinderpooier zal ontmoeten.

De alerte bureauredacteur van *Undercover in Nederland* houdt de site in de gaten en komt erachter dat dezelfde man meerdere bijnamen gebruikt. Hij biedt dezelfde jongetjes aan, tegen dezelfde prijzen. Ik probeer het met een andere *nickname*, de vorige is niet meer bruikbaar. Ik moet opnieuw het vertrouwen winnen, nu als 'Peter'. De kinderpooier gebruikt nu niet 'Jan', maar 'BOY' (gefingeerd) als *nickname*.

BOY zegt: hallo

BOY zegt: waar kom vandaan

Peter zegt: ik kom uit het midden van het land, maar voor mijn werk kom ik overal en nergens

Peter zegt: heb je ook een 15 voor me?

BOY zegt: 14 wel

Peter zegt: is ook goed! wat kost hij?

BOY zegt: 500

Peter zegt: dat is best prijzig

Peter zegt: en waar spreek je altijd af?

BOY zegt: bij klant thuis

BOY zegt: jonger als 18 gaat een chauffeur mee voor veiligheid.

BOY zegt: maar die wacht ergens een straat verder

BOY zegt: moment ff telefoon

Peter zegt: okay

Peter zegt: kan ik je anders ook ff bellen?

BOY zegt: hoi

BOY zegt: ik ben weer terug

BOY zegt: ja kan ook bellen hoor

Peter zegt: geef me je nummer ff dan

Ik krijg exact hetzelfde nummer als tijdens de eerdere chat met 'Jan'. Ik weet nu zeker dat het om dezelfde man gaat.

Peter zegt: kan ik nu bellen?

BOY zegt: nee want ik moet eerst me tel opzoeken

BOY zegt: praten eerst hier ff verder oke

BOY zegt: ff samengevat

BOY zegt: wilt een geile teen
Peter zegt: ja
BOY zegt: 14 jr
BOY zegt: zal ik een foto sturen
Peter zegt: is goed joh

Ik krijg een foto toegestuurd van dezelfde tiener als tijdens de eerste chat. Ook nu weer gewoon herkenbaar. Zou het jongetje dat weten? Het leidt niet direct tot een afspraak. Een paar dagen later zit ik opnieuw op MSN onder codenaam 'wat een heerlijke dag' (WEHD). De Laptopman gebruikt opnieuw 'BOY' als *nickname*. Maar hij weet dat ik 'Peter' ben.

WEHD zegt: hoi hoi, lekker weekend gehad?
BOY zegt: ja super
BOY zegt: jij
WEHD zegt: mwoah, beetje saai
WEHD zegt: niets beleefd eigenlijk
BOY zegt: ik erg lijp geweest
WEHD zegt: vertel!
BOY zegt: hardcore feest
BOY zegt: veel geile gabberts en veel haha
WEHD zegt: geile gabbertjes, toe maar weer!
BOY zegt: jaja
WEHD zegt: nog wat gepakt?
BOY zegt: nee wel ff geknuffeld met een jongen van 16. was zijn eerste feest
WEHD zegt: ah okay
BOY zegt: vond t wel geil maar oke
BOY zegt: whaha
WEHD zegt: haha
BOY zegt: ik moet nu echt gaan anders kom ik te laat

Er gaan weken voorbij waarbij ik hem bijna dagelijks spreek op MSN. Ik heb de indruk dat hij mijn verhaal als 'Peter' gelooft.

BOY zegt: ik dacht gister aan je haha
WEHD zegt: dank dank
WEHD zegt: oh wat dacht je?
BOY zegt: ik dacht shit wat is zijn email ook maar weer
WEHD zegt: haha, dit dus
BOY zegt: nou dat ik een leuke jongen bij me had. ikd acht
WEHD zegt: wat voor leuke knul had je?
BOY zegt: 15jr erg klein. lekker kontje dat in 1 hand past
WEHD zegt: escortje?
BOY zegt: ja
WEHD zegt: en die van 14 dan kun je die ook nog regelen?
BOY zegt: nou die gozer heeft weinig tijd.. is trouwens net jarig
                     geweest ook
WEHD zegt: en die van 15?
BOY zegt: die vind ik zelf erg lekkre
BOY zegt: zo fijn klein haha
WEHD zegt: kun je vandaag regelen
BOY zegt: ik prbeer het
WEHD zegt: kan ik je anders vanmiddag even bellen?
BOY zegt: was is jou nr ook maar weer

Ik geef hem hetzelfde nummer.

WEHD zegt: eind van de middag ofzo, begin van de avond?
BOY zegt: ik zal die jonge ff bellen straks
WEHD zegt: afspreken bedoel ik dan
WEHD zegt: is goed, zal ik jou in de loop van de middag even
                     contacten?
BOY zegt: ok

Ik besluit hem te bellen. Hij neemt op en ik praat als 'Peter' met hem. Ik heb sterk de indruk dat hij me gelooft. Ik spreek af in een gehuurd vakantiehuisje. De pooier zegt dat hij met een 14-jarige jongen komt, maar uiteindelijk komt hij niet opdagen. Wel krijg ik hem aan de telefoon. We hebben die avond wat woorden. Ik maak hem verwijten. Hij erkent de fout en zegt dat we het er de volgende dag via MSN maar eens over moeten hebben.

Ik praat opnieuw onder codenaam 'wat een heerlijke dag'. De Laptopman is opnieuw 'BOY'.

WEHD zegt: hoi hoi
BOY zegt: hallo
WEHD zegt: jammer van de miscommunicatie gisteren
BOY zegt: ja sorry
WEHD zegt: herkansing dan maar
BOY zegt: ja toch.
BOY zegt: oke
BOY zegt: zo dra ik van m hoor dan bel ik wel op
WEHD zegt: is goed, sms mag ook hoor
BOY zegt: ok
WEHD zegt: trouwens, lever jij ook foto of film?
BOY zegt: ja
WEHD zegt: dvd's ofzo of produceren?
BOY zegt: live cam mogelijk. fotos op cd. binnenkort eigen films
WEHD zegt: maar kan ik bij je bestellen?
BOY zegt: zoek precies
WEHD zegt: jong he
WEHD zegt: rond de 14 zeg maar
WEHD zegt: voorbeeldje
BOY zegt: niet bij me nu
WEHD zegt: waar zit je nu dan?
BOY zegt: meppel

WEHD zegt: thuis ofzo?

BOY zegt: in de auto wachten

WEHD zegt: je wacht nu in de auto

WEHD zegt: weer klantje?

BOY zegt: ja

WEHD zegt: hoe msn je dan??

BOY zegt: laptop

WEHD zegt: ah draadloos

BOY zegt: ja

WEHD zegt: je levert met name in het noorden dus?

BOY zegt: nee benelux

WEHD zegt: de gehele benelux? maar dat kun je in je 1tje nooit aan toch?

BOY zegt: ben ook niet alleen

WEHD zegt: ah okay, nu snap ik het!

WEHD zegt: ik dacht als jij in het noorden zit, kom ik die kant wel een stukje op

BOY zegt: t hangt ervanaf wie waar zit op dat moment

BOY zegt: 1000 euro is geen gek bedrag hoor

WEHD zegt: 1000? voor wat?

BOY zegt: een jonge knul

BOY zegt: Zeker, maar nu moet ik weg. Latersssss

Ik bel hem en ik zeg in de buurt van Meppel te zijn. Ik vraag hem om die dvd. Net op het moment dat ik hem niet meer dreig te geloven, verbaast hij me.

'Is goed, Peter. Waar wil je afspreken?'

Ik roep Zwolle.

Die avond zit ik bij de Laptopman in de auto. Deze man heeft op zijn laptop foto's van jonge jongetjes, zelfs van 11 en 12 jaar oud. Hij maakte een deel van de foto's zelf. In de duinen onder andere, in Nederland. De jongetjes zijn gewoon herkenbaar: het zijn Nederlandse kinderen in Nederlandse huiskamers. Ik weet nog steeds niet precies waar. Hij maakt me woest. Dat dit soort mensen bestaan... Ik kan het me niet voorstellen. Hij spreekt over kinderen als *sextools*. Hoe jonger, hoe beter. Hij beschrijft hoe hij met de kleine kinderen seks wil en soms ook seks heeft. Ik kan me die avond maar moeilijk inhouden. Ik vloek een paar keer tegen hem en ik gebruik de miscommunicatie over zijn telefoonnummers als excuus daarvoor. Ik moet me rustig houden, ik mag mijn cover niet verliezen.

Later die avond bekijk ik in alle rust de foto's die hij voor me op de dvd heeft gezet. Ik ben verdrietig en kwaad. Ik rij te hard naar huis en ik word onderweg geflitst door een flitsapparaat. Dat maakt me nog kwader. Thuis bel ik met wat vrienden om stoom af te blazen. Ik neem mezelf voor dit onderwerp niet meer los te laten en probeer verder te infiltreren in deze wereld.

Op dat moment dacht ik met de Laptopman de ergste persoon te hebben ontmoet voor deze serie. Er blijkt echter een man te bestaan die hem helaas ver overtreft.

Kinderpooier uit Arnhem

Daar zit ik dan, samen met hem en mijn collega. Wij drieën lijken ver afgezonderd van de rest van de wereld. Zo wilde de kinderpooier uit Arnhem het hebben. Alles wat we zouden bespreken zou onder ons blijven.

'Akkoord?' Die leugen kon er ook nog wel bij, dacht ik. 'Akkoord.'

De gruwelijkheden die hij daarna vertelde, leidden uiteindelijk tot de ontmanteling van een van de grootste kinderprostitutienetwerken uit de Nederlandse geschiedenis. De uitzending trok werkelijk een beerput open.

Toen ik hem sprak, wist ik dat hij voor een landelijk escortbureau werkte. Mijn eerste contact met hem was telefonisch. Ik belde het escortbureau in Arnhem en had zogenaamd twee escortboys in de aanbieding. Een van beide was minderjarig. Dat gegeven was voor hem geen aanleiding het gesprek te beëindigen. In plaats daarvan verwees hij mij naar twee collega's uit Amsterdam. Met hen sprak ik af op het Rembrandtplein. Daar vertelden zij hoe ze te werk gaan. Op hun site kunnen mannen de profielen van hun jongens lezen. Deze klik je dan als klant aan en in plaats van de prostituee zit een 'pooier' met de klant te chatten. Zo houden ze de hele markt in de hand. De twee heren wilden ook de gegevens hebben van mijn jeugdige prostituees. Toen ik vertelde dat een van hen 15 was – iets wat ze al wisten – gingen ze toch liever niet op mijn aanbod in. Ze konden zich niet veroorloven mee te werken aan kinderprostitutie, vertelden ze.

Nog geen halfuur na het gesprek werd ik gebeld door de pooier uit Arnhem. Hij wilde weten hoe het gesprek was verlopen. Ik meldde dat ik 'niet veel verder kwam met Johan', de schuilnaam die ik gebruikte voor de 15-jarige jongen. Hij zei dat hij het begreep. Dit zaakje moest ik met hem regelen. We maakten een afspraak. Een paar dagen later zou ik hem spreken op neutraal terrein, op een terras in Arnhem.

Ik zei de man dat hij me kon herkennen aan een witte *Oldsmobile*, een Amerikaanse wagen. Deze had ik speciaal voor deze aflevering aangeschaft. Verder zou ik een van beide escortboys, gespeeld door een jongere collega, meenemen. Ik zei dat ik 'Johan' om veiligheidsredenen niet zou meenemen.

Op de dag van de ontmoeting sta ik achter het Centraal Station van Arnhem. Ik bel hem. 'Hoi E. Sta jij voor het hotel? Zie je mijn witte *Oldsmobile*? Naast die bouwval, daar sta ik.' 'Ik' betekent in dit geval John Wijnands, pooier en chauffeur van kinderprostituees. Hij loodst me telefonisch naar het café. Ik vraag hem te zwaaien. Dat doet hij, met zijn linkerhand.

We kiezen ervoor geen volgauto voor het café te zetten. We

willen het risico op te vallen tot het nulpunt reduceren. Dat we de weg niet konden vinden, was een truc om zijn eventuele wantrouwen weg te nemen. Net als de Amerikaanse bak, het zwarte haar en de fictieve prostituee. Gelukkig ben ik al 'gecheckt' door zijn collega's in Amsterdam.

De camera's hebben we verstopt in twee tassen.

'Doe de tas maar alvast om. Dat valt minder op,' zeg ik tegen mijn collega.

Ik zucht. Heel diep.

Ik parkeer de auto rechts. Even toeteren en dan komt hij aanlopen.

'Nergens anders meer over praten. Mond dicht,' zeg ik overbodig tegen mijn collega.

Deur dicht. Op slot. Rug recht. 'Hoi, John.'

We lopen met z'n drieën naar het tafeltje en hij vraagt hoe het gaat.

'Prima.'

'Willen jullie iets drinken? Koffie?'

Koffie is prima. Hij staat op en gaat bestellen. Mijn collega en ik wisselen snel van plaats om hem straks tussen ons in te hebben; beter voor de shots. Ik pak mijn tas, dit is even zo'n handig checkmomentje. De camera loopt nog. Ik haal gauw het hengsel van de tas voor de lens vandaan en dan komt de pooier terug.

Hij opent het gesprek. 'Je kunt vanavond naar Den Haag. Van 9 tot 11.'

Ik: 'Wat betaal je?'

Hij: 'Vijftig euro per uur. Iedere jongen krijgt hetzelfde bij ons. Jij zit in Leeuwarden toch, of niet?'

Dat klopt, dat had ik zijn collega's in Amsterdam verteld.

Hij: 'Ben jij de enige chauffeur?'

Ik: 'Ik doe in principe alles alleen.'

Hij: 'Ik denk, als we de boel aan de gang hebben, dat jij het heel druk krijgt. Dat weet ik zeker.'

We praten door over de rol van chauffeurs tijdens escortbezoekjes. Wanneer hij een jongetje rijdt, blijft hij altijd wachten, vertelt hij.

Het gesprek wordt even onderbroken: de serveerster brengt drie koffie.

Hij vraagt of ik foto's heb van 'hem'. Daarmee doelt hij op de 15-jarige 'Johan'. Ik bevestig dat, en dat is koren op zijn molen. Hij wil meteen aan de slag. 'Je twee jongens krijgen het druk. We hebben zo veel connecties overal. Maar het is horen, zien en zwijgen in dit wereldje. Ik doe het via een omweg. Dit blijft onder ons. Wij doen dit officieel niet. Ik weet nergens van, jij ook niet. We hebben mensen die jongeren vragen. Ik zeg in eerste instantie altijd nee, want het hoort niet. Maar ik ken ook klanten die erop kicken. Als wij de informatie van Johan hebben, kunnen we ermee aan de slag. Wat voor type is het? Is hij mollig, dik of slank?'

Ik lieg dat 'Johan' echt nog een jochie is en na acht uur 's avonds niet kan 'omdat het ventje nog bij zijn ouders woont'. Hij richt zich nu tot mijn jongere collega die een 22-jarige prostituee speelt en zegt dat hij vanavond direct aan de slag kan. Bij een klant in Den Haag. 'Een man met veel bravoure, maar hij heeft een heel klein pikkie hoor.'

Dan tegen mij: 'Jij moet het geld meenemen. En na drie à vier dagen zien we elkaar. Als je in de buurt bent, dan geef je het aan mij. Dat is een kwestie van vertrouwen. We kunnen naar elkaar toe rijden en ergens halverwege afspreken. Je hebt er twee, hè?'

Ik: 'Vier.'

Hij veert op: 'Vier? Wat wil je met de andere twee doen?'

Ik: 'Eentje is ook jonger. Ik wil even kijken.'

Hij: 'Is goed. Voor mij is dat geen probleem.'

Vervolgens vertelt hij zonder schroom over zijn werkwijze. Hij zegt dat er in totaal een kleine vijftien jongens voor hem werken, maar dat is niet genoeg. 'Ik heb nieuwe nodig. Tussen ons gezegd: ik ga overmorgen nieuwe halen in Duitsland.'

Ik: 'Jonge jongetjes?'

Hij knikt: 'Uit Praag waarschijnlijk.'

Ik: 'Johans leeftijd?'

Hij: 'Ze zijn 16 of 17, maar lijken 14, 15. Maar ik zal hun niet naar hun paspoort vragen.'

Ik doe alsof dat wat ik hoor niet zo bijzonder is. Ik wil hem onder geen beding laten twijfelen aan mijn verhaal. Om dat gevoel nog sterker te maken, breng ik het gesprek terug naar ons onderwerp en stel hem vragen over prijzen, de houding van Nederlandse klanten en de veranderende 'business'. Zo meteen hoop ik weer meer over zijn trip naar Duitsland te horen.

Ik: 'Hoeveel vraag je voor hem en voor Johan?'

Hij: 'Dat ligt eraan hoe ver het is. In Leeuwarden 135 euro. Daarvan krijg jij 50, jij' (tegen mijn collega) 'krijgt je geld ervoor, de chatter krijgt 10 euro en de rest gaat hiernaartoe. En nog een gedeelte naar de hele grote baas in Amsterdam die jij ook gezien hebt.'

Hij gaat verder met zijn uitleg.

'Je rijdt de jongens en ik krijg foto's van je. Jouw profiel' (tegen mijn collega) 'komt op internet. Die andere, van Johan, niet. Die gaat via via. Als ik wat heb, hoor je dat. Wij controleren het adres en bellen altijd terug. Ik heb verschillende kanalen om dat te controleren. Dan kun jij ter plekke nog verifiëren of het goed is. Dan heb ik het idee dat we best goede zaken kunnen doen.'

Hij vertelt dat hij door heel Nederland werkt. In Noord-Nederland loopt het storm, maar ook in Brabant kunnen we voor hem werken. Volgens hem krijgt mijn 22-jarige collega het lastig de komende tijd. 'Er is niks mis met je. Voor de business ben je te oud. Dat klinkt lullig, maar het is zo.' De pooier zegt nu bezig te zijn met een jongen 'die bijna net zo oud is als Johan'. 'Dat is een verrekt mooi kereltje. Hij kan alleen 's middags en aan het begin van de avond.'

Voor mij is dit een aanknopingspunt weer over de Tsjechische jongetjes te beginnen. 'De jongetjes van morgen of overmorgen, zijn die jonger?'

Hij: 'Ja, maar die komen bij mij in huis wonen. Dan zijn ze gewoon op vakantie, heel simpel. Dat is niet erg. Ik heb thuis een kamer over, daar zet ik een stapelbed neer. Ze kunnen eten, drinken, ze kunnen alles krijgen. Ze hebben vrijheid, maar er wordt gewerkt. Heel simpel. Die halen we waarschijnlijk overmorgen op. Even naar Frankfurt toe.'

Ik: 'Frankfurt. Hoe lang is dat rijden?'

Hij: 'Vijf uur.'

Ik: 'Hoeveel neem je er mee?'

Hij: 'Ik neem er twee mee. Sowieso. Ik ga heen en terug. Dit schiet zo niet op. We hadden zondagavond vier dates, maar het moet beter. Het zal ook beter gaan. Jij krijgt het druk in het noorden, sowieso. Maar ik heb eerst foto's nodig. Met gezicht of zonder?'

Ik zeg dat we het liever zonder gezicht doen. Mijn collega vult aan: 'Op school zien ze me ook.' Dat argument maakt op de pooier weinig indruk. 'De heren moeten op zoek hoor, ze zien je niet zomaar. Wat wel kan is dat de beginfoto zonder hoofd is en als de klanten inloggen, dat ze jou dan wel zien.'

Ik meld hem dat 'we het eerst zonder foto doen' en dat 'Johan' sowieso niet met zijn foto op internet komt. Dat begrijpt de kinderpooier maar al te goed. Hij is het er roerend mee eens en wil meteen zaken doen. 'Als jij mij de foto's mailt, dan kan hij' (hij knikt mijn naar collega) 'al naar Den Haag. Bij ons is een hele nacht 200 euro. Ik weet zeker dat het lukt. Hij kan waarschijnlijk snel naar Wolvega. Dan kan hij een hele nacht.'

Ik: 'Ik heb een klant die echt jong wil. Kan ik hem met jou in contact brengen?'

Hij: 'Ja, dat kan. Geen probleem.'

Er komt een vrouw bij ons tafeltje staan. Ze vraagt of ze een vuurtje mag. Hij pakt zijn aansteker, ze steekt haar sigaret aan en loopt door. Ze is nog niet weg of hij vertelt dat hij bezig is met een jongetje uit Nijmegen. Hij wordt onderbroken. Zijn telefoon gaat. Hij neemt op. 'Klopt helemaal... ja... ja... die staat voor... Wat voor kleur haar? Is goed. Ja, ik hou het in de gaten. Doei.'

De beller bleek een jongetje te zijn dat voor hem wilde werken, zegt hij. 'Die staat straks voor het hotel. Ik kijk gewoon even. Is het niks, dan jammer. Het gaat achter elkaar door.'

Ik: 'Ook jong?'

Hij: 'Onvoorstelbaar. Maar ik moet oppassen, ik moet het via omwegen doen. Anders komt het uit. Ik heb connecties genoeg. Voor Johan ook.'

Ik: 'Wat is de minimale leeftijd waar jij mee werkt?'

Hij: 'Ik heb geen minimum.'

Ik: 'Twaalf?'

Hij: 'Ook, geen probleem. Ik ben nu met iemand bezig uit Nijmegen, die is 9 jaar. Daar ben ik mee bezig. Ik moet nog zien of dat lukt.'

Ik: 'Die heeft nog niks, daar zit nog geen haar op.'

Hij: 'Maar die kunnen wel lopen.'

Ik: 'Die kunnen net lopen, ja. Heeft het jongetje van 9 jaar het al gedaan?'

Hij: 'Nee, nou ja, met een stel. Met zijn vader en moeder. Zo gaat dat. Zij hebben geld nodig. Net als bijstandsmoeders.'

Ik: 'Ja, die douwen hun kind daar naartoe.'

Hij: 'Als het maar geld oplevert.'

Ik: 'Zal ik de koffie betalen?'

Hij: 'Nee, dat doe ik.'

Ik: 'Oké. Doei.'

Hij: 'Doei.'

Ik stap in mijn auto. Ik kan mijn emoties nauwelijks onder controle houden. Ik smijt de deur dicht. Godverdomme, denk ik.

'Hij houdt ons in de gaten,' zeg ik tegen mijn collega. Ik toeter. De kinderpooier is ook in zijn auto gestapt. Hij rijdt achter ons aan. Ik blijf attent, maar na een paar minuten is hij buiten ons zicht.

'Ik zou hem zo voor zijn smoel willen slaan', zegt mijn collega.

Ik weet 't. 'Ik ook.'

Daarna is het stil in de auto. Muisstil. Minutenlang rijden we alleen maar en spreken we niet met elkaar. Daarna schreeuwen we het uit van ongeloof. '*Fuck*, klootzak!'

Verderop stoppen we op een parkeerplaats bij een restaurant. We bekijken de beelden en kunnen amper geloven wat we gehoord en gezien hebben.

En eigenlijk kunnen we het nu nog steeds niet geloven.

In de dagen en weken erna probeer ik een aantal malen contact met de pooier te krijgen. Als ik hem op een gegeven moment spreek, zegt hij dat ik hem niet meer moet bellen, omdat we anders allebei gevaar lopen. 'Ik ben even op vakantie geweest, als je begrijpt wat ik bedoel. Misschien is het beter dat we maar even geen contact hebben.'

Niet alleen ik ben hem op het spoor, ook de politie houdt deze kinderpooier blijkbaar al een tijdje in de gaten.

Na de uitzending kreeg ik een reactie uit een onverwachte hoek. De broer van deze pooier meldde zich: hij had zijn broer herkend. Hij vertelde dat hij vorig jaar al aangifte had gedaan tegen zijn eigen broer wegens aanranding van zijn zoontje en dochter toen ze 5 en 8 jaar oud waren. Ik vroeg hem of hij in de volgende uitzending zijn verhaal wilde doen. Dat wilde hij, anoniem. Dit om zijn zoontje en dochter te beschermen. Een moedig besluit met grote gevolgen.

Zijn verhaal was schokkend.

'We hebben twee kinderen, een zoontje en een dochter. Die zijn allebei verkracht, aangerand door mijn broer. Mijn zoontje was toen 5 jaar en mijn dochter was toen 8 jaar oud. Dat is nu ongeveer drie jaar geleden. Voor onze zaak is hij vlak voor kerst opgepakt. Toen heeft hij drie dagen vastgezeten. Hij is vrijgelaten, omdat de rechter-commissaris van mening was dat hij niet in herhaling zou vallen. Daar ben ik behoorlijk gefrustreerd over, omdat ik zelf wel beter weet. Hij is gewoon een beest. De politie weet dat er meer aan de hand is dan de zaak van ons. De politie wil ook graag meer, maar als de rechter-commissaris anders inziet, dan houdt het op in Nederland. Hij is in augustus ook al aangehouden voor een zaak. Ook daar was sprake van aangifte van een minderjarige jongen. Ik denk niet dat Justitie in de gaten heeft wie ze voor zich hebben. Zoals wij bij de garage gaan kijken naar een mooie auto, zo kijkt hij naar kinderen.

'Op verkrachting – en vooral van minderjarigen – staat ongeveer net zo'n hoge straf als op moord. Waarom kan zo'n persoon wel heengezonden worden, maar een verdachte van moord niet? Het slachtoffer zit thuis en de dader loopt vrij rond. Mijn broer weet dat ik aangifte heb gedaan. Ik vind dat zulke mensen aan de maatschappij onttrokken moeten worden. Hij is nu twee keer aangehouden, dan zou je ook denken: nu kijkt hij wel uit en stopt hij er wel mee. Maar hij gaat toch gewoon door. Mijn broer is getrouwd met een buitenlands meisje. Hij is rond de 45 jaar en zijn vrouw is twintig jaar jonger. Wat ik weet is dat zijn kinderen altijd bij hen in bed slapen. En ook wel zonder kleding. Dat hebben we van onze eigen dochter gehoord.'

De politie Gelderland-Midden vertelde me na de eerste uitzending op de hoogte te zijn wie deze pooier is, maar wilde over de vorderingen van het onderzoek geen verdere uitspraken doen. Ze zeiden 'serieuze aandacht te hebben voor het probleem kinderprostitutie in het algemeen en deze zaak in het bijzonder'.

Weken na de uitzending werd de kinderpooier uit Arnhem op basis van eigen onderzoek van de politie Gelderland-Midden gearresteerd. Een paar dagen later schrijft *BN/De Stem* daarover, op 30 juni 2006:

De rechter beslist vandaag of een 45-jarige man uit Arnhem blijft vastzitten op verdenking van het ronselen van jongens voor de prostitutie. De man viel door de mand toen hij zijn praktijken had verteld voor de verborgen camera van een tv-programma.

Ontspannen, gezeten aan een kopje koffie, op een terras in Arnhem vertelt een man dat 'een kleine vijftien jongens' voor hem werken. Binnenkort, zo kondigt hij aan, gaat hij in Duitsland nieuwe jongens ophalen, afkomstig uit Tsjechië. Jongens van 16, 17 jaar, 'maar ze lijken 14, 15. In een kamer in zijn huis in Arnhem-Zuid vieren ze zogenaamd vakantie, krijgen eten en drinken, maar moeten dan wel 'werken'. Ontboezemingen voor een verborgen camera van het tv-programma *Undercover in Nederland* hebben een 45-jarige Arnhemmer in een lastig parket gebracht.

Sindsdien zit hij 'in beperking'. De Arnhemse pooier mag volgens zijn advocaat, mr. J.W. Schouten, alleen contact met hem hebben en geen televisiekijken of kranten lezen. Justitie verdenkt hem overigens niet alleen van het aanzetten tot kinderprostitutie, maar hij zou ook een 15-jarige jongen – met wie hij via een chatsite in contact was gekomen – hebben gedwongen tot het plegen van ontuchtige handelingen met zichzelf.

De zaak wordt vervolgens groter en groter. De Arnhemmer blijkt waarschijnlijk lid te zijn van een criminele bende die minderjarigen ronselt voor kinderprostitutie. Het zou in eerste instantie gaan om minimaal dertien jongens, in latere berichten wordt zelfs gesproken over ten minste twintig minderjarige jongens.

De advocaat van de Arnhemse pooier had om vrijlating gevraagd. Het Openbaar Ministerie vond dat onverantwoord vanwege het 'recidivegevaar'. In *De Gelderlander* zegt het OM daarover: 'Dag en nacht is deze man obsessief op zoek naar seks. Bij zijn aanhouding zat hij schaars gekleed te chatten met een minderjarige over seks. Op maandag om acht uur 's ochtends.'

In de tussentijd zijn in dezelfde zaak ook twee Huissenaren aangehouden, 44 en 28 jaar oud, een homo-echtpaar. De oudste was eigenaar van een escortbureau. Hij zou niet alleen lid zijn van een bende die jonge jongetjes ronselt voor de prostitutie, maar ook medeschuldig zijn aan mensenhandel, vervaardiging en verspreiding van kinderporno en seksueel misbruik van een minderjarige. De 28-jarige man met wie de Huissenaar is getrouwd, werd verdacht van soortgelijke feiten. Hij werd in opdracht van het Gerechtshof vrijgelaten. Zijn man werd later, in afwachting van de strafzaak, ook voorlopig vrijgelaten. De Arnhemse rechtbank zag uiteindelijk onvoldoende aanleiding in het voortzetten van zijn voorlopige hechtenis. De officier van justitie zag hem liever wel opgesloten, omdat de man in zijn woning twee minderjarigen opving, die volgens de officier het risico liepen misbruikt te worden. Van hen waren foto's aangetroffen met seksuele poses, gemaakt in het huis van de verdachte.

De kinderpooier uit Arnhem bleef wel vastzitten. Op 18 oktober schreef *De Gelderlander* daarover: 'Een derde verdachte, een 47-jarige Arnhemmer, zit nog vast. Hij bood in mei in een met een verborgen camera opgenomen reportage voor grof geld jongetjes aan voor seks. Die zou hij onder meer uit Tsjechië importeren. De officier van justitie wilde gisteren niet kwijt welke kinderen nog meer in handen zouden zijn gevallen van de vermeende bende, omdat het onderzoek anders gevaar loopt. Het Openbaar Ministerie vreest dat getuigen anders worden beïnvloed.'

Ik volgde de zaak op de voet, maar ik had met het onderzoek niets van doen. Wel kreeg ik eind oktober opnieuw mail van de politie Gelderland-Midden. Ze meldden me dat ik waarschijnlijk wel wist dat het Reebokteam, bestaande uit drie rechercheurs, in het leven was geroepen naar aanleiding van de uitzendingen van *Undercover in Nederland*. Ze wilden me graag horen over de zaak. Ik mailde hun netjes terug dat ik alle informatie die ik kwijt kon in de uitzending had gemeld en dat ik via alle mogelijke andere mediakanalen mijn steentje had bijgedragen. De politie reageerde begripvol en zette het politieonderzoek voort. Wordt dus vervolgd.

Naschrift: Het is de bedoeling van de rechtbank om de drie strafzaken in één keer te behandelen. Waarschijnlijk zal het proces meerdere dagen duren.

Pedo

Hij is 47 jaar en wil seks met een 14-jarig meisje. Hij wil 125 euro betalen voor pijpen, neuken en klaarkomen. Voor 200 euro wil hij anale seks.

Het zijn de pijnlijke en woestmakende feiten die ik ken als ik deze man zal ontmoeten. Ik ben de zogenaamde pooier van het fictieve 14-jarige meisje. Gelukkig maar dat ze fictief is. Dat ze in dit geval niet echt wordt aangeboden, dat in dit geval de man van een koude kermis thuis zal komen. De date tussen het meisje en de man ontstaat op internet. Ik doe me voor als de 14-jarige Marieke en chat met hem. Hier volgt een belangrijk gedeelte uit de chat die leidde tot de afspraak.

x zegt:	alles goed
Marieke zegt:	net wakker
x zegt:	waaaaaaaaaaat luiendonder
x zegt:	ik heb een week vakantie
Marieke zegt:	ah okay
x zegt:	ik ben met een meisje naar de duinen bij Oostvoorne gegaan
Marieke zegt:	gebeurt het daar vaker?
x zegt:	jammer dat het een beetje regende
Marieke zegt:	nat word je toch

x zegt:	weet ik niet het is geen sexplaats
Marieke zegt:	maar ik ben meer van de 'vaste' plekken
x zegt:	ik heb het wel eens in het trappenhuis van een bejaardenhuis gedaan
Marieke zegt:	vertel!
x zegt:	ik was bezig met het rondbrengen van eten voor die oudjes en toen kreeg mijn collega ineens een geile bui
Marieke zegt:	lekker wijfie?
x zegt:	en toen hebben we in het trappenhuis eerst elkaar lekker gelikt en gezogen
x zegt:	en toen wou ze ook geneukt worden
Marieke zegt:	toe maar!
Marieke zegt:	heb je dat gedaan?
x zegt:	tuurlijk
Marieke zegt:	in haar klaargekomen?
x zegt:	nee
x zegt:	in haar mond
Marieke zegt:	dat dacht ik al!
Marieke zegt:	slikte ze het door?
x zegt:	nee
Marieke zegt:	??
x zegt:	ze ging bijna over haar nek
Marieke zegt:	och de schat, en toen?
x zegt:	uitgespuugt
Marieke zegt:	waar?
Marieke zegt:	in het eten van de bejaarden?
x zegt:	gatver........
x zegt:	nee dat waren van die verpakte magnetron maaltijden dus dat kon niet
Marieke zegt:	haha
Marieke zegt:	anaal vind je dat geil?
x zegt:	nou als dat zou kunnen
Marieke zegt:	zij deed het niet toen?
x zegt:	nee

x zegt:	jij wel?
Marieke zegt:	ze slikt niet, niet anaal, jeetje ik moet haar even wat leren volgens mij
x zegt:	hahahaha
x zegt:	hoe oud ben je 14 toch
Marieke zegt:	ja
x zegt:	ben je al eens in je kontje gepakt dan?
Marieke zegt:	met een dildo wel
x zegt:	ik ook
Marieke zegt:	bi?
x zegt:	neehoor
Marieke zegt:	okay
x zegt:	ik wilde het gewoon weten hoe het is
Marieke zegt:	maar ik doe alles wel voor geld hoor
x zegt:	geeft toch niet
Marieke zegt:	mijn 'vriendje' regelt deze zaakjes
x zegt:	dus je hebt nooit een pik in je kontje gehad/
Marieke zegt:	lukt nog niet
x zegt:	kom maar naar me toe dan
Marieke zegt:	hihi
x zegt:	zal ik het je leren
Marieke zegt:	voor hoeveel?
x zegt:	zeg maar
Marieke zegt:	moet ik even overleggen
Marieke zegt:	normaal is het 125 voor pijpen, neuken 1x klaarkomen
x zegt:	anaal?
Marieke zegt:	ik vraag ff
Marieke zegt:	200 euro
Marieke zegt:	voor alles
Marieke zegt:	ben je er nog?
x zegt:	ja ik ben er
Marieke zegt:	maar de kans bestaat dat het wel moeilijk zal gaan
Marieke zegt:	beetje strak nog

x zegt:	als het niet lukt pech gehad
Marieke zegt:	hihi
Marieke zegt:	maar zou je het wel willen met mij?
x zegt:	ik ga geen geweld gebruiken
x zegt:	waarom niet
Marieke zegt:	omdat ik nog een beetje jong ben
x zegt:	ik wil eerst wel ff zien hoe je eruit ziet natuurlijk
x zegt:	weet je wel hoe oud ik ben?
Marieke zegt:	nee vertel eens
x zegt:	ik zou makkelijk je pappa kunnen zijn
Marieke zegt:	hihi
Marieke zegt:	30?
x zegt:	maar daar voel je niks van hoor!!
Marieke zegt:	nou ja, niets van voelen, hihi
x zegt:	ik kan erg voorzichtig zijn als je dat wilt
x zegt:	maar heel hard is ook wel lekker
Marieke zegt:	wat jij wilt
Marieke zegt:	maar hoe oud ben je?
x zegt:	47
x zegt:	oud he
Marieke zegt:	je bent zo oud als je je in bed gedraagt
x zegt:	hahahahaha
x zegt:	die is goed
Marieke zegt:	en we schelen maar 33 jaar, hihi
x zegt:	had ik nooit gehoord
Marieke zegt:	heb wel vaker met oudere mannen te maken, daar leer je dit soort opmerkingen van
x zegt:	maaaaaaaar 33
Marieke zegt:	hihi
x zegt:	waar kom jij vandaan?
Marieke zegt:	maar omdat ik zo jong ben wil mijn 'vriendje' wel eerst even zeker weten dat hij niet in de val loopt
Marieke zegt:	ik ben immers te jong snap je?
x zegt:	ik denk dat ik meer risico loop of niet?

Marieke zegt: we allemaal wel een beetje

Marieke zegt: maar wat hij meestal doet is van tevoren met de klant spreken om te weten wat voor vlees hij in de kuip heeft

Marieke zegt: meestal even telefonisch afspreken en elkaar even ontmoeten, zonder dat ik er bij ben

x zegt: waar kom jij vandaan dan?

Marieke zegt: uit de buurt van amsterdam

x zegt: ow

Marieke zegt: maar we zitten eigenlijk door het hele land

x zegt: ik wil wel eerst een foto van je gezicht zien als dat kan

Marieke zegt: dat is te risicovol, dat moet je begrijpen

x zegt: hahahaha

x zegt: ik ken je toch niet

Marieke zegt: daarom

x zegt: stuur maar naar mijn email adres

Marieke zegt: dat doe ik echt niet hoor

x zegt: wanneer kunnen we dan afspreken?

x zegt: ik woon in ...

Marieke zegt: ik kan vragen of mijn vriendje je even belt vanmiddag?

x zegt: oke

Marieke zegt: wat is je nummer?

x zegt: ....

Marieke zegt: ben je vanmiddag bereikbaar?

x zegt: jip

Marieke zegt: even voor de duidelijkheid, hij belt jou vanmiddag om even details door te nemen en vervolgens een afspraak met jou te maken om je even te ontmoeten

Marieke zegt: dit om risico's zoveel mogelijk te beperken, voor beide partijen

x zegt: ow

Marieke zegt: we weten niet of je van de politie bent

x zegt: hahahaha

Marieke zegt:	hihi, is toch zo?
x zegt:	zou kunnen tuurlijk
Marieke zegt:	heb je nog vraagjes?
x zegt:	maar dan ben jij niet strafbaar hoor
x zegt:	ik wel
x zegt:	voor pedeofilie hahahahaha
Marieke zegt:	dat is zo, hihi
x zegt:	maar ik ga ophangen ik hoor het wel ,anders kunnen we gewoon een beetje blijven chatten misschien
Marieke zegt:	hij belt wel even vanmiddag!
x zegt:	oke doeg!!!
x winks:	"Zoen" afspelen
Marieke zegt:	zo das een beste!
Marieke zegt:	doei doei, wie weet tot snel

Daarna bel ik hem. Zijn verhaal op internet klopt. De volgende dag stap ik in mijn auto. Ik ontmoet hem bij hem thuis. Deze pedo komt op mij over als een zielige, eenzame man. Ik vraag me af hoe hij het zich in zijn hoofd heeft gehaald af te spreken met een 14-jarige. Bezoek prostituees! Ga je aftrekken onder de douche! Maar val jonge meisjes niet lastig met je seksuele voorkeuren. Dat is bij wet verboden en dat is niet voor niets. Met 'politici' die daar anders over denken, kan ik het niet eens zijn. Zeker niet omdat de kinderen die ik heb gezien en gesproken het nooit deden omdat ze er zo veel zin in hadden. Er speelden andere overwegingen zoals geldgebrek of dwang. Deze man heeft daar niet eens over nagedacht. Hij was geil en wilde door een jong meisje bevredigd worden. Voor hem gelden andere normen. Hij ziet het probleem niet. Hij wil seks en hij gaat ervan uit dat zij dat ook wil. Daarmee is zijn actie gerechtvaardigd, daar is volgens hém geen speld tussen te krijgen. Gemakshalve gaat deze man er dan wel van uit dat er in Nederland geen wetten bestaan.

Ik ben me ervan bewust dat als ik straks zijn huis in beeld zou brengen, ik daarmee deze man in een levensgevaarlijke situatie breng. Dat doe ik dus niet. Nu niet, nooit niet. Ik vind het belangrijk Nederland te (blijven) informeren over het bestaan van deze mensen en hun werkwijzen. De autoriteiten, politie en Justitie zullen er hun voordeel mee moeten doen. Het zal hopelijk ook kinderen, ouders en pedo's aan het denken zetten. Ik vraag me vooral af hoe het toch mogelijk is dat ik in al die jaren geen politieman of -vrouw ben tegengekomen. Pedo's en pooiers hebben vrij spel. Dat signaleren is en blijft belangrijk werk.

Emoties

Zoals altijd zijn er na de uitzending reacties van kijkers via de website van *Undercover in Nederland*. Maar de uitzending over kinderprostitutie in ons land overtrof in aantal alle andere afleveringen bij elkaar, zo veel kijkers namen de moeite hun emoties met mij te delen. Mensen waren verbaasd, geschokt, verdrietig. Andere waren woest en wilden de adressen van de daders, zodat ze het zelf 'wel even konden oplossen'.

Daarnaast zijn er veel persoonlijke reacties van mensen die iets soortgelijks hebben meegemaakt. Met naam en toenaam worden de daders genoemd en ik lees de afgrijselijke details. De redactie en ik mailen iedereen terug. Sommigen kort, anderen wat langer met persoonlijke adviezen.

Hierna volgt een kleine selectie uit de reacties die ik kreeg. Namen, e-mailadressen en andere persoonsgegevens zijn verwijderd. Bovendien zijn uitingen die naar een bepaalde persoon zouden kunnen leiden uit de tekst gehaald. De fragmenten zijn soms vanwege praktische redenen drastisch ingekort.

Ik zit geschokt naar de uitzending van vanavond te kijken. Als moeder van twee jonge kinderen moet ik er niet aan denken dat mijn kinderen dit zou overkomen. Hoe komt het dat dit op zo'n grote schaal, binnen EUROPA nog wel, voor kan komen? Mijn hoop is dat deze reportage dan ook een aanzet is om die schoften (onder andere die uit de uitzending) op te pakken en voor zeer lange tijd achter de tralies te laten verdwijnen.

Hallo. Als u meer wilt vinden kunt u beter in ... komen kijken. Een aantal vriendinnen van mij doen het ook. Ze zijn tussen de 14 en 16 jaar.

Beste Alberto! Dit is een schande voor de Nederlandse staat! JIJ hebt de wil en hebt bewezen dat het wel degelijk mogelijk is om zulke **** op te sporen en te berechten! Ga zo door!

Ik ben ... woonachtig in ... en zit sinds kort in de politiek. Schrik en nog eens Schrik. Wat een maatschappij heb ik weer eens vanavond gezien waarin ik zelf leef. Maar ik ben eigenlijk op zoek naar het rapport dat is geschreven over kinderporno. Waar kan ik dat vinden?

Afschuwelijk. Het lijkt wel dat de politie meer tegen een wietplantage doet dan tegen kinderporno.

Ik ben zelf in de selectie als hoofdagent. Ik heb heel veel kennis met ict. Ik ben bereid om u te helpen.

Hoi, ik ben een jongen van 14. Ik was laatst met mijn moeder in het winkelcentrum. Naast mij zat een man in een auto met een laptop en hij bekeek porno. Ik keek in zijn auto en schrok... Hij keek me verrast aan, deed zijn laptop dicht en reed weg. Kan het zijn dat 't de man was die in jullie uitzending zat vandaag?

Hebben jullie ook adressen van deze mensen in de aflevering over kinderprostitutie? Want ik wil graag bij deze mensen op 'bezoek'. Wat een vieze, smerige teringlijers zijn dat. Gadverdamme. Geen straf is hoog genoeg voor deze mensen. Gemarteld moeten ze worden, de smeerlappen. Dit wilde ik even kwijt en als jullie die adressen willen geven, dan graag.

Kan het gewone volk iets doen om zulke onmenselijke dingen de wereld uit te kunnen helpen?

Bij het zien van jullie uitzending over kinderprostitutie heb ik echt gehuild. Ik ben zelf misbruikt tussen mijn 9e en 11e jaar en weet hoeveel schade het aan kan richten. Ik ben net vier maanden moeder en ik moet er niet aan denken dat mijn dochter zoiets mee zou maken. Hier MOET een einde aankomen.

Ik heb veel respect dat je undercover werkt en in contact komt met deze handelaren, pooiers, klootzakken enz. Want voor jou persoonlijk moet het moeilijk zijn om hiermee geconfronteerd te worden en je dan in te houden, doen alsof je geïnteresseerd bent, maar eigenlijk walgt!! Maar je mag niet vergeten dat je iets heel goeds doet!!!

Ik ben erg onder de indruk van de aflevering over kinderprostitutie in Nederland. Zo onder de indruk dat ik het wil overbrengen bij mij op school. Door mijn praktische opdracht van maatschappijleer erover te doen. Hebben jullie daar misschien informatie voor mij over? Artikelen, links, eigen vindingen en dergelijke.

Beste Alberto en team. Mijn complimenten dat jullie de kinderprostitutie zo in beeld hebben gebracht. Er lijkt me niets moeilijker dan je tussen zulke *&%*@&* mensen te mengen.

Ik ben een van vele slachtoffers die als kind is verkocht, misbruikt, gefotografeerd etc... Met tranen in mijn ogen en soms kokhalzend heb ik zitten luisteren naar de woorden en zinnen van de man die de dvd en de kinderen aanbood. Nu ik volwassen ben, probeer ik nog iedere dag mijzelf staande te houden, los te komen van de walgelijke herinneringen aan dit soort mensen. Ga alsjeblieft door met dit fantastische werk, laat heel Nederland maar kokhalzen, misschien dat er dan eindelijk eens iemand opkomt voor de kinderen in dit land, dit is toch verdomme de meest kwetsbare groep die we hebben, de toekomst van dit land!

GESNAPT

Het laatste wat mij als undercoverjournalist mag overkomen, is gesnapt worden. Alleen als mijn cover honderd procent waterdicht is, kan ik nieuws maken en criminele werelden tot in detail in kaart brengen. We doen er als team werkelijk alles aan niet ontmaskerd te worden. Desondanks is er altijd een risico dat ik door onverwachte omstandigheden mijn cover verlies. Stel dat een bekende ineens 'hé, Alberto' roept? Daar is geen script voor te schrijven. Daar kunnen nieuwe namen, meerdere telefoontoestellen en zelfs een compleet ander uiterlijk niet tegenop. Voor de opnamen van een film kunnen de makers een terrein afzetten, maar ik moet undercover in de echte wereld. Die is niet te omheinen.

Bepaalde onderwerpen dwongen me wat dat betreft met vuur te spelen. Voor de aflevering over louche privédetectives ontmoette ik als twee verschillende personen één detective: ik liet me eerst maandenlang schaduwen als vreemdganger en sprak dezelfde man een tijdje later in mijn hoedanigheid als klant.

In het gesprek als klant – ik speelde de directeur van een reclamebureau die vermoedde dat een van zijn werknemers harddrugs gebruikte – had ik een compleet ander uiterlijk, een andere auto, een andere naam en droeg ik een bril. De detective had niets in de gaten en haalde zelfs nog het andere verzonnen verhaal aan waarin ik ook de hoofdrol speelde. Zodoende legde ik met twee sprekende voorbeelden haarfijn en onomstotelijk vast hoe hij als privédetective alle geldende regels en wetten aan zijn laars lapte.

Ik ontmoette vaker iemand in twee verschillende hoedanigheden. Zo ging ik voor de tweede maal bij de pedofiel op bezoek die met de fictieve 14-jarige Marieke naar bed wilde. Nu was ik geïnteresseerd in zijn erectiespuiten, die officieel alleen op doktersrecept verkrijgbaar zijn. Als pooier ging ik in een rood hawaïbloesje, droeg ik een pet en een bril. Voor het tweede bezoek droeg ik een pak, met stropdas, en had ik mijn haar netjes gekamd. Ik ging wel met dezelfde auto, maar parkeerde deze ditmaal uit het zicht. Mijn haar was nog pikzwart, die verf kon ik er helaas niet uit halen. Ik gedroeg me tijdens de tweede ontmoeting ook anders. Ik sprak iets lijziger, keek hem minder vaak in de ogen en ik stond bewust wat meer rechtop. Het werkte; de man had niet door dat ik hem een maand eerder als pooier had ontmoet. Daardoor kon ik vastleggen dat deze pedofiel ook nog eens handelde in illegale erectiespuiten.

Het gaat dus heel vaak goed, maar een foutje is zo gemaakt.

Tweemaal ben ik gesnapt. De laatste keer gebeurde dat op een parkeerplaats in Groningen, tijdens een van de eerste opnamen van het tweede seizoen. Ik speelde een pooier en zocht illegale prostituees. Ik reed er rondjes, droeg voor de zekerheid een petje en stapte uit toen het donker was. Ik werd direct herkend door een vrouw, nadat ik haar alleen maar had gevraagd of ik wat mocht vragen. En dat terwijl ik ook nog mijn best deed dit met een Twents accent te doen. De vrouw herkende me, ik weet nog steeds niet waaraan. Het was pikkedonker. 'Ik weet wel wie jij bent. Jij bent Alberto, van *Undercover in Nederland*. Van die straatracers. Zeg het nu maar.' Ik had blijkbaar te maken met een *diehard*-kijker. Ik kan me niet aan de indruk onttrekken dat de herhalingen op SBS 6 hiermee te maken hadden, want een paar dagen eerder was ik nog op tv geweest met – inderdaad –

de aflevering over illegale straatraces. Ik zat blijkbaar nog vers in het kortetermijngeheugen bij deze vrouw.

Daar stond ik dan, aan het begin van een nieuw jaar opnames voor *Undercover in Nederland*. Ik had natuurlijk heel sportief kunnen zeggen dat ik inderdaad Alberto ben, zeker omdat de vrouw die mij aansprak niet bezig leek te zijn met illegale activiteiten. Ze stond wat te keuvelen met haar man en een ander stel. Maar zij wisten niet waar ik wél voor kwam en ik wilde niet nú al mijn onderwerp bekendmaken. Bovendien zouden de tientallen andere aanwezigen ook ineens kunnen weten dat *Undercover in Nederland* voor opnamen op deze parkeerplaats was. Dat is nou net níét de bedoeling van het programma. Het leek me verstandiger te kiezen voor de gemakkelijke weg: ik ontkende, draaide me om, stapte in de auto en reed weg. Ik baalde vooral omdat ik aan het begin stond van een nieuw jaar undercover en ik voorzag daarin grote problemen met herkenbaarheid. Het roer moest om. Direct na dat weekend verfde de kapper mijn haar zwart.

Een jaar eerder was ik ook al eens betrapt: op de Wallen, door een drugsdealer. Dat was het spannendste moment uit mijn loopbaan als undercoverjournalist. Ik wilde uitzoeken hoe gevaarlijk Amsterdam was voor buitenlandse toeristen. Het was gevaarlijker dan ik had verwacht. De laatste jaren kwamen er steeds meer berichten dat Amsterdam onveilig zou zijn voor toeristen. Australië had een negatief getint reisadvies uitgevaardigd voor Nederland en zelfs landen als de VS, Groot-Brittannië en Canada waarschuwden voor de Nederlandse criminaliteit. Hoe reëel was die waarschuwing? Ik had bedacht dat ik de veiligheid van Amsterdam het beste kon testen door zelf toerist te spelen.

Ik doe me voor als de Zweedse rugzaktoerist Jonas Svensson. Mijn startpunt is Schiphol. Ik zal ons land binnenkomen zoals vele miljoenen andere toeristen dat ook jaarlijks deden. In wer-

kelijkheid heb ik me aan het IJ omgekleed. Ik heb daar een rugzak omgedaan en de verborgen camera in een ander, handza-
mer tasje verstopt, ik word door de volgauto naar Schiphol gebracht en loop direct naar de aankomsthal. Daar doe ik alsof ik
net ben geland en nu naarstig op zoek ben naar een taxi.

In de aankomsthal word ik meteen aangesproken door een illegale taxichauffeur, een snorder. Taxichauffeurs mogen officieel niet op Schiphol zelf klanten ophalen. Toch blijkt het eenvoudig in de hal al een taxi te regelen. Ik maak een deal: voor 30
euro naar het Centraal Station van Amsterdam. Een collega met
een verborgen camera wacht in de aankomsthal en ik regel hem
'toevallig' als medepassagier. Op CS merk ik dat de deal van 30
euro die ik vooraf met hem heb gemaakt, daardoor nu niet
meer telt. Het bedrag valt bijna twee keer zo hoog uit. Dat zou
me als Nederlander niet overkomen zijn.

Had ik als toerist beter de trein kunnen nemen? De cijfers beweren van niet. Elke dag komen er tientallen aangiftes binnen
van zakkenrollerij, bagage- en tasjesdiefstal op de Schipholijn.

Eenmaal in het centrum van Amsterdam word ik agressief
besprongen door snorders, dealers en opvallend veel hotelproppers. Ik weet dat gemiddeld ongeveer één op de negen toeristen
in Amsterdam wordt bestolen. In die zin overkomt mij in de
twee dagen dat ik toerist ben helemaal niets. De stad is ineens
stukken minder gezellig zodra ik mij als buitenlandse toerist
voordoe. Als 'Zweed' is de eerste kennismaking met Amsterdam
verre van positief. Voor mij zal het nog veel ongezelliger worden.

De Dam is voor veel Nederlanders een prettig ijkpunt met
veel historische waarde. Voor toeristen is het vooral een verza-
melplaats van drugshandelaren, junks, bedelaars, zakkenrollers
en hotelproppers. Het valt me op hoeveel proppers er zijn en
hoe makkelijk ze te werk gaan. Als aasgieren komen ze op me
af. Een van hen bedreigt me op het moment dat ik hem geen
fooi wil geven. Ik heb hooguit een kwartiertje met hem door

het centrum gelopen en hij vraagt daarvoor 25 euro. Ik weiger dat te betalen en daarop verandert hij van toon. De cameraploeg die mij al de hele dag volgt, is ineens nergens meer te zien. Ik maak me vliegensvlug uit de voeten door me boos voor te doen en quasi-kwaad weg te benen. Ik bedenk dan al wel wat ik had gedaan als ik de stad niet zou kennen. Nu weet ik waar ik ben en kan ik eenvoudig wegkomen.

Als toerist in Amsterdam lijkt het wel of iedereen drugs aan je wil verkopen: *'Pssst, coke?'* *'Hé you, drugs?'* *'Drugs, come on?'* Zelfs een propper die me aanspreekt voor het Centraal Station heeft eigenlijk een ander doel: coke aan mij verpatsen. Ik verkoop hem als drugsdealer nee, maar ik laat hem wel als propper zijn werk doen en vervolg mijn toeristische reis samen met hem door de stad, op zoek naar een geschikt hotel. Die avond slaap ik, samen met de cameraploeg, bij mij thuis.

De volgende dag slenter ik als toerist op de Wallen. Dezelfde man houdt mij toevallig staande. Hoe het met me gaat. Waar ik heb geslapen. Of ik een jointje moet. Ik zeg hem dat het niet verstandig is mij open en bloot de wiet te laten zien, maar volgens hem krijg je in Nederland die vrijheid er gratis bij.

Als ik daar zo met hem sta te praten, loopt tweemaal dezelfde man voorbij. Dat zie ik pas later terug op de beelden. Ik heb hem op dat moment niet in de gaten. Hij kijkt voortdurend naar mij en mijn tas. De lens lijkt goed verstopt, maar toch maakt deze man uit het niets een opmerking: 'Pas op, je wordt gefilmd!' Hij wijst vervolgens richting de tas. 'Je wordt gefilmd!' Ik spreek natuurlijk zogenaamd geen Nederlands, maar dit versta ik verdomde goed. Wegwezen, schiet het door me heen.

De drugsdealer lijkt net zo verbaasd als ik. We hebben gisteren nog samen een dik uur met elkaar door Amsterdam gelopen. Tot nu toe ging hij ervan uit dat ik Jonas heette, uit Zweden kwam en nog steeds niet tevreden was met mijn slaapplaats. Zijn blik verraadt ook boosheid. 'Laat dit niet waar zijn,' zegt hij. 'Laat dit niet waar zijn.' Maar het is wel waar. Ik film hem wel met mijn tas. Ook hij probeert de lens te zoeken. 'Waar is de camera? Waar is de camera?' Ik voel me onbeholpen, alleen. Ondanks een collega die honderd meter bij me vandaan staat om de situatie te filmen. Zeker omdat de dealer schreeuwt en ik meerdere malen hardop *no* roep, zijn er in paar seconden al meerdere mensen naar ons toe gelopen. Ik weet niet wie het zijn, of ze bij hem horen of niet. Wat moet ik doen? Als ik wegren, denkt hij dat ik hem inderdaad heb gefilmd. En als ik blijf staan, pakken hij of enkele omstanders misschien mijn tas af. Of erger.

Ik doe iets wat het midden houdt tussen beide: snelwandelen. Ik bel een collega en vraag hem mij op afstand in de gaten te houden. Ik zie dat de drugsdealer aanstalten maakt mij te volgen. Ik wandel steeds sneller door. Af en toe kijk ik om en zie na een kleine minuut dat de drugsdealer de achtervolging heeft gestaakt. Later bedenk ik dat hij misschien wel net zo bang was voor mij als ik voor hem. Voor hetzelfde geld was ik een politieagent geweest en had ik hem kunnen arresteren.

Ik loop over de Dam en ga via het Damrak naar het Centraal Station. Vlak voor de Bijenkorf geef ik mijn rode trui en mijn tassen aan een collega. Zodoende val ik in de menigte minder op. Ik loop snel door naar de achterkant van het Centraal Station. Daar tref ik mijn collega's. Samen maken we de oversteek over het IJ, stappen in de auto en scheuren weg. Het team slaapt vanavond weer bij mij thuis. De camera sluiten we aan op mijn tv-toestel en we kijken naar de beelden. Pas dan dringt het werkelijk tot me door: Wat heb ik onvoorstelbaar veel geluk gehad!

NAWOORD

Ik vind het belangrijk te vermelden dat zowel het boek als het programma *Undercover in Nederland* nooit tot stand zouden zijn gekomen zonder de onvoorwaardelijke steun en het begrip van collega's, familie en vrienden. Ik wil een aantal mensen speciaal bedanken:

Arnold, Joris, Jeroen, Michael, John, Gerard, Jillis, Bart-Jan, Arjen, Jan, William, Hans, Eric, Remko, Tina, Toine, Daphne, Daniëlle, Saskia, Cor, Kyra, Daniël, Anne-Mieke, Olm, Dave, Erwin, Bryan, Gerrit, Janny, Henriëtte, Gertjan, Timo, Julian & Esther.

Dit boek is samengesteld uit belevenissen uit de eerste twee seizoenen *Undercover in Nederland*. In het voorjaar van 2007 komt er een nieuwe serie *Undercover in Nederland* op SBS 6. De onderwerpen, onthullingen en persoonlijke belevenissen daarvoor zijn niet opgenomen in dit boek.

De vermommingen zullen in de toekomst beter moeten, de technieken nog verfijnder. Ook collega's zullen mij ondersteunen en waar nodig vervangen. Het belangrijkste is dat het middel verborgen camera het doel blijft heiligen. Maar zolang er criminelen zijn met nieuwe oplichtingspraktijken heeft een programma als *Undercover in Nederland* bestaansrecht.

Alberto Stegeman